JN063868

続・最後の場所　14号

2024年3月

目次

表紙題字・梅村城次

きれぎれの（2024年2月）
～吉本『転向論』を軸に～

菅原則生

①

　三歳か四歳、それとも五、六歳ころか、町内会か何かで、日帰りのバス慰安旅行に海沿いの観光地に出かけたことがあった。母と父が一緒だった。よく見知った近所の二、三十人で景観を眺めながら、ぞろぞろ歩いていた。そのときとつぜんわたしは、数百メートル離れた先の、山の中腹あたりの道を、母たちが歩いているのが見え、泣きじゃくったことがある。いままで一緒に歩いているはずだった母たちがわたしを置いて去っていったと咄嗟に思い、わたしはそくざに被害感にとらわれてしまったのだ。

　母はそのとき、わたしのすぐ背後にいて、慌ててわたしを抱きかかえた。そしてわたしは安心し泣き止んだのをよく憶えている。

　わたしにはそのとき、現実に見えるはずもないのだが、数百メートル先の山の中腹の道を歩く母が、不可解なことにはっきりと見えた。錯覚にはちがいないのだが、錯覚とはいいきれない不運な何かがあるように最近になって思うようになった。そのときは母はその瞬間、向こう側に移動したのではないか、あるいは向こう側に移動することを欲したのではないか。わたしの記憶では、物ごころついたころから母に過剰に「溺愛」された。これはひと筋縄ではいかない、埋もれた記憶のその先に、何かがあるように思えてくる。

吉本は七十歳を超えて、西伊豆の海で溺れて瀕死の体験をしたあたりから、死は個人の意思を超えたもので、人間は自分の死に関与することはできない、自分の死は自分のものではない、意思の外にあるものだと盛んにいうようになった。その言い方にならえば、死は、鳥か何かが向こう側のどこからともなく「飛来」して、自分の頭の上に止まった時に決まるように思える。そんな比喩が妥当のように思える。これこれの病気・原因があったから死は起こったという因果関係と死は初めから切断されている、自分の意思と死は、全く別の次元のことだ。

別の言い方も成り立つ。自分の中に殺意が起こったとしても、それと実際に殺害することは別の次元のことだ。

②

知人と二十年ぶりに話したことがあった。自分は買った株が高騰してうまくいった。共通の知り合いであるAは、自分がおこした会社を売って引退して海沿いの郊外に家を買って、ときどき友人を呼んで過ごしている。そして農地を買って妻とふたりで農作業をやっている。また他のBは都心寄りにマンションを買って近所の子ども相手に書道教室を開いて余生を過ごしている。それにくらべてCは好きなことをしてきて、いまや自分の身を養うことさえできずに生活保護に頼らざるを得ないらしい、好きなことをやってこれたのはよかったけれど、そんなことでは……という話になった。そして話題は、「ジャニーズの問題」、映画「福田村事件」のこと、天皇の戦争責任についてに逸れていった。知人はどうしても、天皇に責任はないと言いたいらしかった。しだいにわたしは居たたまれなくなって、身につまされてきた。反論する気を思いとどめた。

わたしにも「金銭・名誉・地位」（吉本隆明『「一言芳談」を読む』一九九六年刊）について関心がなかったわけではない。「名店街」のいい匂いをかいだこともあるけれど、それ以上に深入りすることは（でき）なかった。鳩のように平和なやさしい声が嫌いだった。テレビに出てくるMCやコメンテーターが嫌いだった。無名よりも有名、無知識よりも有知識、無能よりも有能を上位に置き憧憬する、無意識の価値序列が嫌いだった。そして、（偽の）公共性が嫌いで反抗ばかりしてきたので、「考えごと」をしているうちに知らず識らずに「金銭・名誉・地位」から遠ざかっていった。だがそれは言い訳かもしれない。もしかすると、生来の怠け癖が直らず飽きっぽかったからそうなったのかもしれないし、「金銭・名誉・地位」への望みを捨てずに刻苦してきた彼らのほうがまともだったのかもしれない。近年、しだいに健康面でも金銭面でもおぼつかなくなってきた自分を思うと、そう考えるようになった。

十数年前、それなりの「金銭・名誉・地位」を所有しているとみえた友人が故郷の九州の家を放棄して突然東京に舞い戻ってきた。誰かが何かを耳元で囁いたのかもしれないが、何があったのかはわからない。今は生活保護に頼っている。そして数年前、病気をかかえ故郷の四国に戻り生活保護の世話になっていた友人が「火事で死亡した」という小さな新聞記事を読んで、これは自殺だろうと思った。

二十年ぶりの知人との会話でわたしは何にいたたまれなくなったのだろうか。おそらく、彼らのわたしに対する「いい歳をして何をやってるんだ」という無意識の侮蔑の視線に堪え得なくなったのだと思う。あるいは、わたしが「考えごと」をしているわたし自身に対しての「いい歳をして何をやってるんだ。無駄なことをやっていると思わないのか」という自問に堪え得なくなっているからだと思う。

③

作り手である詩人もまたこの社会で詩のほかに関心をもつものは何もないと言うところまで行ってしまうこともときにある。ここに挙げた詩人たちもそれに近いところまで行った。萩原朔太郎は不幸な生活人で、離婚、貧困はいつも付いて回った。宮沢賢治はそんな言い方をすれば、生涯親がかりの生活者であった。中原中也も一軒の家も維持できなかった。いちばん何もなさそうにみえる伊東静雄は大阪の高校の先生だった。やはり詩作で産財を成すなど夢のまた夢だった。だがこれらの詩人たちの作品は不朽で、たくさんの人を永く慰安してきたし勇気づけてきた。詩人たちが生涯に背負った苦しさも不幸もいわば「自業自得」というほかはない。これが社会的な言い方だ。けれど詩人たちは自分の詩作品で自己慰安と多くの読者の慰安をなし遂げた。財や社会的地位をうらやむこともあったろうが、運命を忠実にたどるほかなかった。

（吉本隆明「中学生のための社会科」二〇〇五年刊）

吉本は四人の「詩人」の「この社会で詩のほかに関心をもつものは何もない」「運命を忠実にたどるほかなかった」というところに、またそれに付随した「生涯に背負った苦しさ」や「不幸」に、あるいは生活の困窮にシンパシーを寄せている。自身も四人の「詩人」と同じように生涯に「苦しさ」や「不幸」を背負ってきたのかどうかわからない。吉本の批評にはいつも半分は自分のことが入っているから、ここでいっていることは半分は自分のことだ。詩人はほんものの詩人であるほど、生活に困窮するはずだといっているわけではない。なぜかたまたま彼らは困窮してしまったのだ。困窮している詩人がすぐれた詩人だといっているわけでもない。ハルノ宵子の『隆明だもの』（二〇二三年刊）では、最晩年の吉本は生活に困窮し、蔵書を売ってなんとかしのいでいたと書かれている。カール・マルクス夫人の「夫は貨幣の研究ばかりしているけれど家には貨幣がほとんどない」という最晩年の嘆きを思い起こさせる。

彼らの作品は多くの読者を慰安したかもしれないが、それは結果だ。自己慰安の結実した作品は、読者を慰安するために書かれたものではない。これはぞんがいに怖いことかもしれない。読者は慰安され、勇気づけられることもあるが、作品に没入すればするほど作者の「苦しさ」や「不幸」を半分は背負うことになってしまうからだ。読者を慰安し勇気づける作品は、それとはうらはらに、読者をとらえて離さない強い「毒」を持っていて、読者自身もまた「運命を忠実にたどる」ことを強いられるからだ。そして彼ら詩人もまた、いつかどこかで「人生体験の個性のすべてが含まれ」た「たった一行」に打たれた、それぞれの隠された経験を持っているにちがいない。いいかえれば、生涯の重荷になるかもしれない「毒」をひそかにのみこんだのだといえよう。

すべての「芸」と名のつくものは「永続」と「瞬間（その場かぎり）」のあいだに仕えている。だが人間を集団として形成される「社会」にたいしては「芸」は無用であり、「芸」にたずさわる者は無用の長物である。これはまた愚か者を国の政治責任者に択んだりする理由でもあると思う。人間は個人としては自己慰安を求める動物だが、「社会集団」の塊《かたまり》としては「有用さ」を求めるのを第一義とするからだ。（同前）

ここで吉本は「芸能者」の例として「美空ひばり」を挙げている。詩人が「詩のほかに関心をもつものがない」というのと同等に、美空ひばりは「歌いあげること」のほかにこの社会では関心がなかったにちがいない。吉本にとって美空ひばりは、自身と同じように荒廃した戦後に立ち上がっていった孤独や孤立を知っている同世代という意味で、シンパシーを感じていたのはないか。

「「芸」と名のつくものは「永続」と「瞬間（その場かぎり）」のあいだに仕えている」というのはどういうことだろう。わたしなりに考えてみる。詩人にとって詩作が自己慰安であるように歌手にとって歌い上げることは自己慰安であろう。いわば、誰からもうかがい知れない、誰にも通じない、自分自身の「心」を自分だけが知っているという瞬間の「心」の状態に「心」が触れること、それが自己慰安であり、修練によって「芸」になり、表現されたものが「永続」に接続することがあるかもしれないし、ないかもしれない。自分では決められない。

けれども、誰にも通じない、自分自身の「心」を自分だけが知っているという瞬間の「心」の状態は、「社会集団」の塊《かたまり》から見れば意味のない「無用」のものであり、芸を為す者は「無用」の存在だ。踏み込んでいえば「悪」そのものであり、社会から外れた存在だ、そしてそのことに耐え得ないがゆえに、無能よりも有能を第一義に、無用より有用を第一義に傾いていく。

この一節を、吉本『転向論』（一九五八年初出）の嚙み砕いた再提出だと読んでみる。

吉本は「転向」を「日本の近代社会の構造を、総体のヴィジョンとしてつかまえそこなったために、インテリゲンチャの間におこった思考変換」（『転向論』）と定義している。そして「大衆からの孤立（感）が最大の条件であったとするのが、わたしの転向論のアクシスである」と書いている。「社会の総体のヴィジョン」の原型をなすものが「個人と共同性は逆立する」という吉本の創見だ。いいかえれば、

「自己慰安を求める動物」としての「個人」と、「「有用さ」を求めるのを第一義」とする「社会集団」とは逆立し、その「逆立」という契機を逸したために、我がインテリゲンチャは「思考変換」を繰り返していることになる。そしてその最大の要因は権力からの圧迫・弾圧ではなく「大衆からの孤立(感)」だ、つまり大衆からみて自分は「無用」の存在なのではないか、自分は究極の「悪」なのではないかという自問自答に耐え得ないことが「思考変換」の最大の契機だということになる。

「転向」を自分に引き寄せてみる。わたしは二十歳前後の頃、主義主張もなく一般的な、どちらかといえば保守的な個人であった。社会に役に立つ有意義な存在になろうと漠然と考えていた(かなり危ない精神状態ともいえる。今だったらそんな考えはやめろと言うだろう)。当時のよど号ハイジャック事件のころには、それを起こした赤軍派学生に反感を持った。しばらくして「三里塚闘争」が広がりを見せたころには、機動隊に追い散らされる農民に同情した。そしていつのまにか左翼政治集団に属し、果てには、政治集団の一員として吉本隆明講演会の「粉砕」を掲げて壇上に駆け上がったりしていた。わたしは知らず識らずに個人から「愚か者」の集団に滑り込んでいた。それがわたしの「転向」であった。

吉本が十二、三歳の頃に「二二六事件」が起こり、そのとき決起した青年将校たちに吉本はシンパシーを寄せていたと述べている。そしてよく知られているように戦時中は自称「皇国青年」であり、日本が敗北するときは自分も死ぬときだと腹に決めていた。自己慰安を求める個人から「愚か者」の社会集団に知らず識らずに滑り込んでいたことになる。これも「転向」のひとつだ。

「転向」にはさまざまなパターンがある。左寄りの社会集団の一員としての主張から右寄りの社会集団の一員としての主張への変換、またその逆。右寄りの個人から左寄りの社会集団の一員としての主張への変換、左寄りの個人から右寄りの社会集団の一員としての主張への変換……。いずれのパターンも原型にあるのは、「自己慰安を求める動物」としての「個人」の位相から、「有用さ」を求めるのを第一義とする「社会集団」の位相へ、知らず知らずのうちに変質していることだ。また、個人は、あるときは「個人としての個人」という位相として振る舞い、あるときは「集団の一員としての個人」という位相として振る舞うから、個人の内部で、「自己慰安を求める」個人になり、「有用さ」を求めるのを第一義とする「社会集団」の一員になったり、という矛盾をやっている。

そしてこの「転向」の過程は、放っておけば百パーセント行きっぱなしになるという意味で「自然過程」だ。つまりその過程は止めることはできないし、止めることには意味がない。できることは、「転向」したあとに「自己慰安を求める個人」の位相に還ってくること、そのことだけだといっていい。いいかえれば、「社会集団の一員」という位相と「自己慰安を求める」個人という位相のすべてを無限遠点の「向こう側」から客観視すること、または社会集団・党派性・宗派性から「離脱」する過程だけが価値のある過程だということになる。そんなことは「裏切り」なしに可能か。そんな自問が次にやってくる。

④

吉本は『転向論』で、中野重治の『村の家』（一九三四年初出）、『「文学者に就て」について』（一九三五年初出）を指して、戦前に起こった数多の「転向」（亀井勝一郎・林房雄・徳永直らの転向、佐野学・鍋山貞親らの転向、小林多喜二・宮本顕治らの非転向）のなかで、中野重治の「転向」は「人間として水準が高い」と評している。そう述べている最も大きな要因は、「大衆からの孤立」に正面から立ち向かい、回避しようとしなかったことであり、日本の知識人が見せることのなかった「知識人の典型」を初めて示したことだ、と書いている。

よく知られているように『村の家』では、転向して福井に帰郷した息子・勉次に老父・孫蔵が「もう書くことはやめろ。恥の上塗りになるだけだ。転向というのは屁をひったのと同じだ。小塚原で骨になって帰ってくるものと思っていた」という言葉をぶつける。それに対して勉次は「よく分かりますが、やはり書いていきます」と答える緊迫した場面がある。

わたしの考えでは、中野重治が「大衆からの孤立」に正面から立ち向かおうとしたという吉本のモチーフは『マチウ書試論』のモチーフからの進化形だ。つまり、キリストが旧ユダヤ教の秩序と秩序を支える者たちへの「蝮の血族よ」という侮蔑・呪詛を主張するとき、主人物・キリスト（および作者）は自分が大衆からみて「暴徒」に過ぎないのではないかという観点を回避している、キリスト（および作者）は「大衆からの孤立」に正面から立ち向かおうとせず、自分で自分を客体視することを回避しているという『マチウ書試論』の『新約聖書』解読のモチーフと重なっている。

佐野、鍋山が、わが後進インテリゲンチャ（例えば外国文学者）とおなじ水準で、西欧の政治思想や知識にとびつくにつれて、日本的小情況を侮り、モデルニスムスぶっている、田舎インテリにすぎなかったのではないか、という普遍的な疑問につながるものである。これらの上昇型インテリゲンチャの意識は、後進社会の特産である。佐野、鍋山の転向とは、この田舎インテリが、ギリギリのところまで封建制から追いつめられ、孤立したとき、侮りつくし、離脱したとしんじた日本的な小情況から、ふたたび足をすくわれたということに外ならなかったのではないか。日本の国体、国民思想、仏教思想に関する書籍の看読を願出たとか、『大乗起信論義記講義』をよんで、その深遠さに一驚した、などという件りをよむと中野（澄男の―菅原注）文の白々しさよりもさきに、みじめな日本のインテリゲンチャ意識が、こころにかかってくる。モダン文学者と共産党の指導者との逕庭は、いくばくぞや、ということになるのである。わたしは、声明書の内容からかんがえて、この佐野、鍋山の声明書にまつわる第二の疑問は、あるいは、日本における転向の一つの典型にまで、ひきのばしうるのではないかとかんがえる。

中野重治の転向小説「村の家」のなかで、もっともコムパクトなプロットの一つは、主人公勉次が、保釈願をかき、政治的活動をせぬという上申書を提出するが、非合法組織に加わっていなかったという主張を守ることができたときの、獄中の次の描写である。

「『失わなかったぞ、失わなかったぞ！』と咽喉声でいってお菜をむしゃむしゃと喰った。彼は自分の心を焼鳥の切れみたいな手でさわられるものに感じた。一時間ほど前に浮んだ、それまで物理的に不可能に思われていた『転向しようか？　しよう？……』という考えが今消えたのだった。ひょいとそう思った途端に彼は口が乾上がるのを感じた。昼飯が来て受け取ったが、病気は食い気からと思って今朝までどしどし食っていたのが一と口も食えなかった。全く食欲がなく、食欲の存在を考えるだけで吐きそうになった。両頬が冷たくなって床の上に起き上がり、きょろきょろ見廻した。どうしてそれが消えたか彼は知らなかった。突然唾が出て来て、ぽたぽた涙を落しながらがつがつ噛んだ。『命のまたけむ人は――うずにさせその子――おれもヘラスの鶯として死ねるぞ。』彼はうれし涙が出て来た。」

ここに描かれた主人公の転向は、もちろん、白々しく日本思想史やら仏教史やらの貸与を願出て、ヤソ教と仏教のちがいがわかったなどと、腑抜けたことをうそぶいたり、『大乗起信論義記講義』をよんでその深遠さに一驚したなどといいながら、（中野（澄男の――菅原注）文を事実として）

「共同被告同志に告ぐる書」を、官辺との納得づくでかいた佐野、鍋山にくらべれば、はるかに人間として水準が高いことは、いうまでもない。それは、不可避的な転向とさえ呼ぶことができる。文学者が、文学者として政治家よりもはるかに高い水準をしめした例をこの主人公にみることができる。政治的活動を放棄するという上申書を逆手にして立ち上ろうとする鮮やかな文学者の例が、ここにあるのだ。佐野、鍋山と中野の転向のあいだには、「返り忠」と「転向とはいえぬ転向」との大差がある。もちろん、主人公勉次が作中で洞察しているように、この大差といえども、心理的な機微にまで立ち入れば、わずかな差異にすぎないだろうが、ひとたび、人間と人間との対他的な条件におきなおせば、人間的な水準の大差となってあらわれるのである。

（吉本隆明『転向論』一九五八年初出）

共産党の指導者と目された佐野・鍋山の転向と中野重治の転向は、世間（社会）から見れば同じ転向であり、微細な差異に過ぎないが、具体的な人間と人間の対他的な関係に置き直せば「人間的な水準の大差となってあらわれる」と、ここでいわれている。佐野・鍋山の視界には『村の家』の老父・孫蔵のような「大衆」は登場しないが、中野の視界には老父・孫蔵は重要な人物として不可避に登場せざるを得ない。佐野・鍋山の理念から見られた現実には生々しい現実が初めから排除されていて、理念らしきものがそれ自体で完結している。現実のうわっつらを掠めているだけで、現実とぶつかったときの痛烈な内省がやってこない。これは日本だけのものではないが、日本特有の「上昇型インテリ」「田舎インテリ」のパターンだと吉本はいっている。

佐野学（一八九二年生）・鍋山貞親（一九〇一年生）は一九二九年に治安維持法で拘束・起訴されて三二年の第一審判決で「無期懲役」となる。ここまでは二人は「ソ連擁護・一国社会主義擁護」を第一義とするコミンテルン指導下の日本共産党の路線に忠実であったが、その後、佐野から刑吏に、日本の国体思想・仏教思想に関する本を読みたいと願い出、それを読んだ佐野がその深淵さに驚愕し、日本の伝統（天皇制）賛美・コミンテルン批判に急旋回してゆく。佐野・鍋山は同調して「共同同志に告ぐる書」という転向宣言を発表する（これは官憲の作文という傾向が色濃いが、大筋ではこの通りであろう、と吉本は注釈している）。これを機に共産党は雪崩を打ったように転向が続出し、体制翼賛・戦争推進勢力を形成していく。

太宰治（一九〇九年生）は、一九二九年、弘前高校生だった十九歳のころから「左翼活動」に傾倒していく。三〇年、東京大学に入るもほとんど大学には行かずに「左翼活動」に没頭する。三二年、兄に伴われて青森警察署に出頭、以後「左翼活動」から離脱することを誓約する。

埴谷雄高（一九〇九年生）は三一年、共産党入党。三二年、逮捕・起訴されたが獄中で結核が悪化し転向の上申書を提出して出所。

中野重治（一九〇二年生）は二七年、プロレタリア文芸運動に参加、三一年、共産党入党。三二年、逮捕・起訴される。三四年、「左翼活動」から身をひく旨の上申書を提出して転向・釈放。

吉本『転向論』からの引用になるが、中野重治の『村の家』の、獄中で転向を決意した場面の描写は錯綜として分かりにくい。二年に及ぶ拘禁中に肺を悪くし、不眠症に悩まされ「発狂・自死」の寸前まで追い込まれ、自身の内部での混乱が極まってゆく。そして『村の家』のこの場面の描写では、ほとんどのことは自供して認めるが「非合法組織に加わっていなかったという主張を守ることができた」ことが勉次の最低限の倫理・矜持だということがわかる。つまり、官憲の主たる矛先は「非合法組織＝共産党の一員」かどうかに絞られていて、「共産党の一員」にもかかわらずそれを認めなかった（プロレタリア文芸組織の一員であることなどは認めても）ことが、自分の最低限の矜持を「失わなかったぞ、失わなかったぞ！」という喜び＝転向しなかったぞという喜びとして表現されている。だが傍からみれば、他の仲間の転向と同じ転向（恥・卑怯）であり、別段ちがったものではない。けれど、勉次（中野重治）にとっては決定的な差異であった。そして転向であるか転向ではないかが自分のなかで悩ましい問いとなって反復してゆく。

この悩ましい勉次（中野）の自問自答が、吉本をして「高い人間性の水準」を示しているといわしめたものだ。吉本は『転向論』の末尾で、中野重治が初めて示した日本の知識人の「第三の典型」は「昭和十年代の後期太平洋戦争下において」崩壊に立ちいたった、そして「まったく別の思想的典型を創造する課題を負わされている」と書いている。どういう意味か考えてみる。

わたしたち戦後世代からみて、中野重治の倫理ははるか以前の地層に埋もれた「化石」のように見える。つまり、それが転向であるか転向でないかはそれほど重要ではない。もっと遠くから自分を客体視できれば、もう終わってしまうように思えるのだ。

⑤

これは逃げの一手で、僕と同年代の三島由紀夫さんでも、友だちの村上一郎さんでも、みんなそうならなかったんですよ。そこまで俺は逃げないぞ、逃げられないぞって、村上さんは自殺しちゃいましたし、三島さんも自殺しちゃったんですね。それ以上逃げるのは耐えがたいということだったんだと思うんです。

村上さんとか三島さんが自殺したときには、僕は僕なりに、俺は多数と一緒に徹底的に逃げるという考え方をつくっていたから、そういうふうにならなかったんです。そこまで逃げるのは生きていることにならない、というのがあの人たちの志だったんですね。

村上さんは海軍の学生軍人だったけど、負けたっていったときに、総理大臣の東条英機をぶった斬るとか言って、陸軍省のあたりをうろうろしたという伝説を持った人です。そして、アメリカ資本主義を生涯の敵とすること、といった条項をいくつか書いた人だから、どんどん逃げて、これ以上後退して生きてることは、意味がないと思ったんでしょう。志が無になる思いで。そういうことがあって自殺しちゃったんです。

三島さんは、そういう意味ではちょっと遅ればせなんですね。村上さんと同じことを、戦後になってから自覚したんです。同じように、これ以上逃げたら志が立たないと思ってしちゃったんだと思います。

僕らは、逃げろ、逃げろ、志もへちまもないと思い、といって逃げる方法を戦後に考えて、ただ一つ、自民党と違うところは、国民全般がそうならば、あるいは大多数がそうならば、一緒に逃げようじゃないか。大多数がやるというなら、やろうじゃないですか、というのが違うところなんですね。

共産党なんかと違うところは、革命だ、革命だって言ってるけど、いざとなったら逃げればいいんだ、俺は逃げちゃう、亡命すればいいと彼らは考えています。そこが違うんですね。この人たちは、戦争中の日本の兵隊っていうのは、侵略戦争の先兵になって無駄死にだったと戦後言ったんです。

しかし僕は、そんなことを言ったら、自分だって無駄死にに近かったわけだから、俺はそうは思わない、無駄死にじゃない。大多数の兵士が戦争に行って何百万人も死んだんだから、この問題をなんとか整理しない限り、思想なんて何も成り立たないという考えで、結局僕は、大多数が戦争するというなら戦争賛成だし、大多数が逃げるなら一緒に逃げる。それ以外にないじゃないの、という考えになっていったわけです。

（吉本『僕なら言うぞ！』一九九九年初出）

吉本の「逃げろ、逃げろ、志もへちまもない」というのが遠回しの三島由紀夫と村上一郎への批判になっている。これは中野重治の倫理に対する遠回しの批判にもなっている。つまり「逃げろ、逃げろ、志もへちまもない」を「逃げろ、逃げろ、転向もへちまもない」に差し替えればいいことになる。「共産党」、あるいは「民族」や「国家」が「神」であるもへちまもない、ばかばかしいから「神」なぞはドブにでも捨てて逃げてしまえばいいといっている。転向が「悪」であるかどうかもへちまもない。転向したければ自由に転向すればいい。重要なのは「大衆からの孤立」に自己慰安の深さを対峙させることだけだった。それが戦後のしばらくしてからの吉本の方法であった。

戦争は「社会主義国家」も「資本主義国家」も、一部支配層の特殊利益を一般的な利益と詐称して押し出し、そのために大衆を駆り出すもので、大衆が始めるものではない。また大衆が駆り出されて形成される「軍隊」を動かすのは大衆の意思ではなく一部支配層の意思だ。だから、そこから「逃げる」ことに何の遠慮もいらない。「裏切り」も「卑怯」もへちまもない。けれどもそれだけでは、戦前のように逃げてしまう共産党指導層や、逃げてしまった戦後の支配層・官僚層と同じになってしまう。そして「戦争」は、大衆に対する究極の抑圧であるにもかかわらず、大衆はみずからその戦争に「加担」してしまうのも一方の真だ。この問題はいわば「永続的な課題」に属していて、最終的な課題だといえる。

吉本の「逃げろ、逃げろ」という言い方からの揺り戻しのように、個人の意思としては戦争否定だが、大衆の一員としては大多数の大衆が「戦争に賛成ならば自分も賛成だ」、大多数の大衆が「逃げるなら自分も逃げる」という言い方への変化は「人間性」の深まり、思想の膨らみなのだ。

⑥

鶴見俊輔は、戦争中、インドネシアで、英語の短波放送を聴いて日本語に起こし将校に伝える仕事をしていた。だが、戦争末期になって、戦局が悪化すると、青酸カリを持ち歩くことにするようになったそうだ。前線に送られれば、意志が弱い自分は、強姦したり、敵兵を射殺するだろうと思えたからだ。鶴見さんほどの優れた哲学者、思索家にとっても、「左手」（敵を殺す「右手」を制止するものの比喩…引用者注）の役割を果たせるのは、「ことば」ではなく青酸カリだったのだ。

（高橋源一郎『ぼくらの戦争なんだぜ』二〇二二年刊）

鶴見さんは、戦争前にアメリカのハーヴァード大学に留学した。ハーヴァードで、一九四〇年には、日本人の留学生は鶴見さんひとりだったそうだ。その後、太平洋戦争が始まり、卒業直前の鶴見さんは、ＦＢＩに逮捕されたりもした。鶴見さんは、日本が負けると思っていた。アメリカに残る選択肢もあったけれど、負ける祖国の下にいたいと思って帰国した。その後、兵士として暗号解読の仕事についた。そして、前の章で書いたように、いつ自殺してもいいように青酸カリの小瓶を持ち歩いた。なぜそう思ったのか。自分は弱い人間で、「非常時」には、兵士として人を殺したり、関係のない現地の女性を犯したりするだろうから、そうならないために準備をしたのである。

この事実を知った上で、この文章を読むとき、ぼくは、深く考えさせられる。

鶴見さんは、あの「戦争の時代」に、理性を失うことなく、人として戦争に反対しつづけた。その背後にあったのは、まずなにより知性だった。

（同前）

これを読んで、まず思ったのは、高橋源一郎はどうなってしまったんだ、というものだ。なぜこんな馬鹿なことを言うようになったんだ。わたしなら、「青酸カリ」を持って戦場に行くなんてことはやめておけと言うだろう。自分でもできないことを、何も知らない若者に啓蒙するのはとんでもないことだ。すぐに自己欺瞞にさらされることは自分が一番よく知っているはずだ。経験したかどうかではない。原理的にそうなると言っているのだ。敵兵士を殺すことになる直前に「青酸カリ」を飲むことなど、できるわけがない。できたとしても精神の異常（自虐）として実行できるだけだ。できたとしてもなんの意味もない。車が猛烈なスピードで自分に突進してきたとして、精神の覚悟性として死を待つことはありうるが、身体は咄嗟に車を避けようとするだろう。それと同じだ。つまり、みんなが「青酸カリ」を飲もうとしたとき、自分だけはそれをしないだろう、あるいは誰かはそれをしないだろう。これは原理なのであって、わたしが空想していっているわけではない。そして自分あるいは誰かが青酸カリを飲まなかったとしても誰も責められない。責めるほうが異常なのだ。

昨年『一億三千万人のための「歎異抄」』という本が出た。中世の偉大な僧侶・親鸞と唯円の書物『歎異抄』を、現代語に翻訳して「一億三千万人」の蒙をひらこうとする通俗化の極みのような「啓蒙本」にしてしまった本だ。高橋はこれまで随所で「自分の師は吉本隆明だ」と述べていた、また「自分の師は鶴見俊輔だ」とも述べていたので、この本に関心を持った。けれど、吉本と鶴見、どっちもいいとはいかないのだ。吉本と鶴見ではまるで違っているからだ。この違いを無しにすることはできない。そして吉本は生涯、親鸞を追究していたので、この本のベースは吉本「親鸞本」であろう、高橋は吉本「親鸞本」をどう理解したのか、という関心を持った。とりわけわたしが関心を持ったのは次の箇所だ。

「ユイエン」と「あの方」がいった。

「はい。なんでございましょう」とぼくは答えた。

「おまえはおれのことばを信られるか」

「もちろん、信じています」

「では、おれのいうとおりにするか。それがどんなことであっても」

ぼくは緊張した。「あの方」は、なにか特別なことをぼくにいおうとしていた。ほんとうに特別で大切なことを。ぼくにはそれがわかった。そして、それがおそろしかった。

「どんなことでもいうとおりにします」

すると、「あの方」はためらいもなくこういった。

「では、人を千人殺してみろ。いますぐにだ。そうすれば、おまえは必ずジョウドに生まれ変わる。オウジョウできるのだ」

ぼくはすぐには答えられなかった。「あの方」のことばに答えることができるなにかが、ぼくの中にはなかったから。だが、それでもなにかをいわねばならなかった。「あの方」があの澄んだ眼差しでぼくを見つめていたから。

「できません。できません。ぼくにはとてもできません。千人どころかたったひとりも殺すことなどできません」

「では、なぜ、おれのいうことならなんでも聞くといったのだ？」

ぼくはうなだれていた。いま「あの方」のいうことならなんでも聞くといったばかりなのに、舌の根の乾かぬうちに「それはできない」と答えたからだ。

　すると、「あの方」がいった。なぜか優しい声だった。

「ユイエン。これでおまえにもわかったろう。なんでも思いのとおりにできるのなら、もし人を殺してジョウドへ行けると知ったら、そいつは千人だって殺すかもしれない。でも、そんなことはできやしないのだ。だが、それはおまえが「善い」こころを持っているからじゃない。ただ『縁』がなかったからだ。誰かを殺すための、ちいさなきっかけがなかっただけなんだ。だから、逆に」

「あの方」の声が少し暗くなったような気がした。

「殺すまいとどんなにこころに決めていても、百人千人と殺すことになってしまうことだってあるのだ。考えてみると、それはとてもおそろしいことだね、ユイエン。こころが真っ直ぐで「善い」ものなら大丈夫と安心し、こころがねじくれて「悪い」ものなら、それはダメだと思いこむ。そうじゃないのだ。そのことを繰り返し、アミダはいわれたのだ。アミダにとって、善人と悪人の間にはなんのちがいもなく、だから同じようにお救いになろうとしたんだよ」

　あのとき、「あの方」がいったことば。それをいったときの表情。その声のひびき。そのすべてをぼくはよく覚えている。ぼくの魂は、まるで暴風の中にいるように激しく揺さぶられていた。「あの方」がぼくに、「人を殺すこと」について話してくれた、そのずっとあとのことだったろうか。おかしなことをいう人が現れた。その人がいうには、アミダは悪をなすものを救ってくださる、だとするなら、ジョウドに早く行くためには、わざと悪いことをするのがいちばんだと、そういうのだ。それを聞いた「あの方」は、さっそく手紙を書き、「よく効くくすりがあるのだから毒を飲んでも平気だ、だから試してみようなどというアホはいない」と諭されたのだ。

　極端なことをいう人はいつでもいる。みんな、「あの方」の話をきちんと聞こうとしないのだ。

ただことばの上っ面だけを聞いて、わかった気になる。そして、ちっぽけな自分のこころが満足できるような結論を出すのだ。

だから、「あの方」は忍耐強く繰り返しいったのだ。

「しょせん人間がおかす程度の悪などが、ジョウドに行くさまたげになることはないのだ。星の数ほどもある戒律をすべて守らなければオウジョウできないというわけではない。そんなことは、もともとどうでもいいのだ。おれたちはみんなボンノウにまみれたあさましい身の上ではないか。それでも、アミダのお力にすがることができる。そう、アミダになら甘えてもいいのだ。だからといって、わざわざ悪行にふける必要もない。そもそも、おれたちは身の丈にあったことしかできないのだから」

（高橋源一郎「一億三千万人のための『歎異抄』」）

この『歎異抄』十三条の高橋の翻訳に『ぼくらの戦争なんだぜ』の先の引用部を重ねてみる。すると『歎異抄』の「殺そうとする意思がなくても人間は〈きっかけ〉があれば百人・千人を殺してしまうことがありうる。殺そうとする意思があっても〈きっかけ〉がなければ一人さえ殺すことはできない」という第十三条の思想の深さは水で薄められて啓蒙譚に変わってしまう。つまり、「殺そうとする意思がなくても人間は〈きっかけ〉があれば百人・千人を殺してしまうことがありうる」という人間の〈おそろしさ〉〈不可解さ〉〈かなしさ〉に重心がかかったところで、殺さないためには強い「知性」が必要だというほうに傾いてゆく。というよりも奥歯に物が挟まったような翻訳になってゆく。翻訳に高橋の意図が重なってしまう。そして十三条の後半部で、善人よりも悪人のほうが浄土に行けるなら進んで悪をなしたほうがいいという「造悪論」が横行していることに対しての親鸞の戒めの手紙が挙げられているが、これも啓蒙譚にしてしまっている。親鸞は「造悪」も「造善」も否定しているが、啓蒙しているわけではない。それはおのおのが考えればいい、そうしたければそうすればいいという「沈黙」があるだけだ。

〈きっかけ〉があれば百人・千人を殺してしまうことがありうる、逆に〈きっかけ〉がなければ一人も殺せない、というときの〈きっかけ〉とは何か。誤解を恐れずにいえば、それは意思が関与できない〈彼岸〉から（向こう側から）覆い被さるように飛来するものであって、〈こちら側〉の意思を超えたところからやってくるものだ。

もうひとつ言いたいことがある。わたしと高橋はほぼ同世代で、同時代に「連合赤軍事件」を目の当たりにしている。この「事件」をどう潜ったかは『歎異抄』十三条をどう理解するかと密接に関わっている。


十八歳のとき、ぼくは学生デモで逮捕され留置所に収容された。そこでのぼくの名前は「十番」だった。ずっと留置され、最後に弁護士が来て「名前をいわないと釈放されませんよ」と説明されるまで2日間、ぼくは「十番」だった。ぼくには他の名前がなかった。そして、ずっと「なぜほんとうの名前をいわないのだ」と厳しく責められつづけた。ぼくが犯したとされる罪よりも、「名前を名乗らない」ことを厳しく責められた。そのことが不思議だった。意味がわからなかった。それは、ぼくにとって初めて直面した、「ひとりの個人として考えるべき」ことだった。名前をなくして初めて、ぼくは、自分にはなにもないことがわかったのだ。

それからしばらくして、ぼくは拘置所に入った。そこにいた8カ月の間、ぼくは「二十三番」だった。他の名前では呼ばれなかった。そのときには、ぼくの名前はわかっていたはずなのに。独房にいた「二十三番」のぼくには、なにもすることがなかった。ただ自分自身に向き合うこと以外には。

あれから半世紀以上が過ぎた。いまのぼくは、「あそこ」から来ているのだと思う。「十番、あるいは「二十三番」と呼ばれたことから。（同前）

十八歳のころのこの体験から、自分の知的な旅は始まったといわれている。別の箇所では、中学か高校生のころ早熟の同級生から、吉本の「異数の世界へおりてゆく」という詩を聞かされて、知の扉を開かされたと書いている。いわば、個が自分を束縛する〈社会〉と初めて出会ったことから自分の知的な覚醒の旅が始まったといわれている。だがそれは「往きがけ」の道に就いたにすぎない。問題は遙かもっと先だ。知の最終的な課題は「そのまま寂かに〈非知〉に向かって着地する」（吉本『最後の親鸞』一九七六年刊）ことだ。

漱石『道草』――苦について

伊川龍郎

これは参ったというときは、ガードをゆるめて散財したり友人と騒いでぱっと忘れるか幼児返りして逃げるかどうか。ひどくこたえたあるとき、そうだニューヨークへ行こう、と突拍子もないことを思い立った。出張を除けば一人旅など学生時代以来だ。ニューヨークに特別関心があったわけではない。知っているのはジョン・レノンが最後に住んだアパートとジョンとヨーコが散歩したであろう公園があるというだけだ。実際に行ってみると、ニューヨークに想像を超えるものはなかった。もちろんそんなものを探されてはニューヨークが迷惑だろう。地下鉄から上がると、背の高いビジネス男女がさっそうと歩いている。そのあいだを背の低い真っ黒でおしりもおっぱいもスイカみたいな女たちが追い抜いていく。ぼくはなじみのない街で隠遁者のふりをしているわけだ。教会に入って結婚の儀礼を見たり大きいハンバーグを食べたり、文字なのか絵なのかわからない塀の落書きを見た。ヨブ記のヨブは災難続きでよくこらえたと断片が浮かんで消える。夜は疲れて安ホテルの一室に帰る。外への配慮を捨て内側に無頓着になってぼんやりすることだけはできた。
日々の徒労感はちりほこりとなって頭肩足に降り積もっているのは気が付いているが、思ってもみない方向から〈苦〉が立ち上がる。対処法はそれぞれ個人的でしかない。個人的に苦しみ個人的に抜けるか抜けられないかだ。そして困り感から失意、虚無感、ばくぜんとした希死念慮へと深く導いてくる。その敵は〈自然〉である。身体の境界の外という〈自然〉と境界の内側にある身体という〈自然〉がその相手である。マルクスは類としての人間を問い詰めて、古典的な確信をもって書いた。

人間の人間にたいする直接的な、自然的な、必然的な関係は、男性の女性にたいする関係である。この自然的な類関係の中では、人間の自然に対する関係は、直接に人間の人間に対する関係であり、同様に、人間に対する［人間の］関係は、直接に人間の自然に対する関係、すなわち人間自身の自然的規定である。したがって、この関係のなかには、人間にとってどの程度まで人間的本質が自然となったか、あるいは自然が人間の人間的本質となったかが、感性的に、すなわち直観的な事実にまで還元されて、現れる。（中略）すなわち彼自身の感性は、他の人間を通じてはじめて、彼自身にとっての人間的感性として存在するからである。
（マルクス『経済学・哲学草稿』）

〈苦〉につかみ取られたとき、媒介を通さずに組み合っている相手は、マルクスの哲学で言われる〈自然〉だ。ヨブ記のヨブはヘブライ文書類のなかでイエスを除いて唯一、神を通さずに〈自然〉に立ち向かった。そして究極的に現れる〈自然〉は事物や、事物のような他者ではない。病理として現れる壁でもない。それらはこちらが偶然恵まれているか偶然貧しいか過敏か鈍感か、出会った医者が有能か無能かなどで大きさが変わる。しかし必然的に現れて対処が終わらないのは人間にとっての〈人間〉との関係、その人間にとっての〈人間〉との関係である。「どの程度まで人間的本質が自然となったか、あるいは自然が人間の人間的本質となったか」ということが、感性の上の事実、直観でとらえられる事実に引き絞られて現れると言い切っている。

もちろんヘーゲル直伝のマルクスの言い回しにぼくはついていけなかったのだが、それよりも思春期にあって、〈自然〉は憧れとおそれとしてまとめてやってきて、わたりあうには未熟だった。後で吉本隆明の『共同幻想論』を開いて、マルクスの言ったことに直接関連していると思ったところがある。マルクスは時間について考察しつくしていないが、そこでフロイトが登場する。

> フロイトは晩年の円熟した時期の講話（『続精神分析入門』）のなかで〈女性〉を簡潔な言葉で規定してみせた。かれによれば〈女性〉というのは、乳幼児期の最初の〈性〉的な拘束が〈同性〉（母親）であったものをさしている。そのほかの特質は男性にたいしてすべて相対的なものにすぎない。身体的にはもちろん、心性としても男女の差別はすべて相対的だが、ただ生誕の最初の拘束対象が〈同性〉であったことだけが〈女性〉にとって本質的な意味をもつ、というのがフロイトの見解であった。
>
> （吉本隆明『共同幻想論』）

フロイトの臨床的な経験からくる見解は、マルクスの人間にとっての人間、その人間にとっての人間の直接的な関係に世代という時間概念を導き入れられると見なされた。よく引用される『共同幻想論』の一節が続く。

〈女性〉が最初の〈性〉的な拘束から逃げようとするとき、男性以外のものを対象として措定したとすれば、その志向対象はどういう水準と位相になければならないだろうか？　このばあい〈他者〉はまず対象から排除される。〈他者〉というのは〈性〉的な対象としては男性である他の個体か、女性である他の個体のほかにありえない。するとこのような排除のあとでなおのこされる対象は、自己幻想であるか、共同幻想であるほかはないはずである。ここまできてわたしなりに〈女性〉を定義すればつぎのようになる。あらゆる排除をほどこしたあとで〈性〉的対象を自己幻想にえらぶか、共同幻想にえらぶものをさして〈女性〉の本質とよぶ、と。そしてほんとうは〈性〉的対象として自己幻想をえらぶ特質と共同幻想をえらぶ特質とは別のことを意味してはいない。なぜなら、このふたつは、女性にとってじぶんの〈生誕〉そのものをえらぶか〈生誕〉の根拠としての母なるじぶん（母胎）をえらぶことにほかならないからである。（同前）

『共同幻想論』のこういう文章は大切なことを言っている気はするが、わかるということはなかった。いまでもそうだ。ただ十代よりは中性化された層が厚くなってきた分（図々しくなったということだが）、知識の言葉に驚かなくなったとはいえる。

『共同幻想論』の中でわかる気がしたのは、柳田国男の初期の詩からはじまる「憑人論」と漱石の『道草』に関して論及している「対幻想論」の部分だ。『道草』の主人公を追っていく。

（健三が給金を渡したとき）

その時細君は別に嬉しい顔もしなかった。しかしもし夫が優しい言葉に添えて、それを渡してくれたなら、きっと嬉しい顔をする事が出来たろうにと思った。健三はまたもし細君が嬉しそうにそれを受取ってくれたら優しい言葉も掛けられたろうにと考えた。それで物質的の要求に応ずべく工面されたこの金は、二人の間に存在する精神上の要求を充たす方便としてはむしろ失敗に帰してしまった。
（夏目漱石『道草』）

健三夫婦のあいだの冷えたやりとりは、大小の差はあってもわたしたちの毎日と変わらない。健三は自分ごとのために書斎に入る。妻が世間並を当然のことと言い、夫が趣味と遊びに逃げ込むかどうか自体は平凡さの範囲内であって、それ自体が夫婦の直接性を壊すかどうかとは無関係だ。漱石自身は、漢詩文、俳画、若い時からの親友や弟子たちとの同性愛的な交遊があり、それらは漱石がもっともなじんだ〈自然〉であった。それもまた今現在のわたしたちの振る舞いとあまり違わない。健三は仕方なく仕事を増やし親族の求めに奔走する。滑稽で悲惨な姿をさらしているが終わることはない。妻は神経症を起こして寝込んでしまうと、健三にとってはしばらくの平穏をもたらす。

お住が「ヒステリー」、妊娠、出産として発現するものは、すべて同じ〈自然〉の水準に並べられている。鬱屈する夫もその姿自体は〈自然〉に属する。つまり生活していること以外ではない。そして人間がどこまで〈自然〉を人間化し人間を〈自然〉化する、その根拠である直接の相互性に橋がからないまま、それぞれ孤立している男女の姿として投げ出されている。健三とお住のやりとりは、共同性から孤立するしかない近代の男女の姿を典型的にあらわしている。お住は〈自然〉に倒れ込んでしまい、その意味では〈自然〉と和解しているが、健三に和解はない。夫婦の問答はそこに終始している。

渡英して十分に〈苦〉をため込んで帰国した健三は、家族、親族が不快に出迎える。健三だけは知識の悲惨さを背負っているが、世間も妻も感知するわけがない。未明の時代の英雄神話では、〈自然〉

巡遊中の武神が立ち寄る姫は、武神を蘇らせる価値を贈与する（たとえば『小栗判官』）。それはアジア古代以前の神話だ。近世になって近松門左衛門は、世話場の思想だけが本質だという立場からそれを逆転させた（『出世景清』）。そこでは武神の衣装を着た男は大ぶりな理屈を振りかぶらせて、実際は妻と子を虐待することしかできない勘違い男であり、なぐりつけても倒れそうにない夫に狂乱する妻は、夫の威容を真っ向から崩壊させるだけの迫真性をもっている。そして差し違えるところまで描き切った。『道草』の世話場は、男女の直接性を豊かにすることも終わらせることもできないで、妻が神経的な病理や妊娠と出産で〈自然〉にくるまれているあいだだけ、いっとき穏やかになるということをくりかえしている。

これらは漱石自身の生活がもとになっているが、それを自伝的というのは一面的だろう。求道する漱石と悪妻という伝説を流したのは、漱石を敬慕する取り巻きたちかもしれない。たしかに妻の鏡子はそれを自分で証明するかのように夫の死後、『漱石の思い出』で徹底して夫の悪口を言っている。癇癪持ちでパラノイア的な資質があった漱石が妻にとってたまったもんじゃなかったのは事実だろう。また漱石も日記には「妻はヒステリーに罹るくせがあったが、何か小言でもいうときっと厠の前で引っ繰り返ったり縁側で斃れたりする」などと書いている。それらは現実に修羅場だったろうが、それとは別に温暖な時間もあったことを排除することはできない。そしてそこまでは生活的ということでしかない。漱石が書きたかったのは、「人間の人間にたいする直接的な、自然的な、必然的な関係」（マルクス）であるべきが、点と点のように孤立したままでいる男女の姿であり、同時に自身の育ちにまつわる暗い事情だった。

健三が遠い所から帰って来て駒込の奥に世帯を持ったのは東京を出てから何年目になるだろう。

彼は故郷の土を踏む珍らしさのうちに一種の淋し味さえ感じた。（同前）

「遠い」とは距離であると同じように、時間的な深さを含意している。健三は帰国後、妻、養父、親族と次々と対応するが、それらは健三にとっては循環するしかない生活だから、自分だけの「遠い」場所に健三にしか見えない〈苦〉をつかまえなければならない。

今も男女関係なく行きかえり電車に揺られ、いずれ自己と自己との関係か、男女の関係を中心とする関係か、いずれにしても直接性を目指して帰ってきて、それから明日の再生産しているにちがいない。作者漱石にとって留学は神経が削られるような苦い経験であり、帰国して迎えた家族親族は安息を得る場所ではなかった。小説は、健三が勤め帰りの途中でかつて育ててもらい今は絶縁している養父の姿を見かけるところから始まっている。

幼年期の健三は実家から出されて数年間養父と過ごして、また実家にもどされた。これは、健三の心をうす暗くする事実であり、養父母の記憶は薄暗さをもたらす根拠だった。養父が訪ねてくる動機は立派になったかつて育てた子に金をせびることだが、姉もまた健三からの給付の増額を求め、兄や義父にも、金を借りてまでして用立ててやるしかない。一つ片付いたと思うと妻から家計の難儀をいわれ、健三は仕事を増やすしかない。

事件のない日がまた少し続いた。事件のない日は、彼に取って沈黙の日に過ぎなかった。
彼はその間に時々己の追憶を辿るべく余儀なくされた。自分の兄を気の毒がりつつも、彼は何時の間にか、その兄と同じく過去の人となった。
彼は自分の生命を両断しようと試みた。すると綺麗に切り棄てられべきはずの過去が、かえって自分を追掛けて来た。彼の眼は行手を望んだ。しかし彼の足は後へ歩きがちであった。

そうしてその行き詰りには、大きな四角な家が建っていた。家には幅の広い階子段のついた二階があった。その二階の上も下も、健三の眼には同じように見えた。廊下で囲まれた中庭もまた真四角であった。

（中略）

或日彼は誰も宅にいない時を見計らって、不細工な布袋竹の先へ一枚糸を着けて、餌と共に池の中に投げ込んだら、すぐ糸を引く気味の悪いものに脅かされた。彼を水の底に引っ張り込まなければやまないその強い力が二の腕まで伝った時、彼は恐ろしくなって、すぐ竿を放り出した。そうして翌日静かに水面に浮いている一尺余りの緋鯉を見出した。彼は独り怖がった。……

「自分はその時分誰と共に住んでいたのだろう」（同前）

喧騒からはなれてぼんやりしながら「己の追憶」をつないで「過去の人」になっていく。そこに奇妙な建物が現れ、幼い健三は入っていくが誰もいない。過去の時制と実感される夢のような物思いに引きずり込まれて、怯えがやってくるのをきっかけに養父母との暮らしの場面があらわれる。「理解力の索引に訴えて考えれば、どうしても島田夫婦と共に暮したといわなければならなかった。」とある。健三は〈苦〉の由来を見定めなければならない。


彼らが長火鉢の前で差向いに坐り合う夜寒の宵などには、健三によくこんな質問を掛けた。

「御前の御父ッさんは誰だい」

健三は島田の方を向いて彼を指さした。

「じゃ御前の御母さんは」

健三はまた御常の顔を見て彼女を指さした。

これで自分たちの要求を一応満足させると、今度は同じような事を外の形で訊いた。

「じゃ御前の本当の御父さんと御母さんは」

（中略）

彼の返事は無論器械的であった。けれども彼女はそんな事には一向頓着しなかった。

「健坊、御前本当は誰の子なの、隠さずにそう御いい」

彼は苦しめられるような心持がした。時には苦しいより腹が立った。向うの聞きたがる返事を与えずに、わざと黙っていたくなった。

「御前誰が一番好きだい。御父ッさん？　御母さん？」

健三は彼女の意を迎えるために、向うの望むような返事をするのが厭で堪らなかった。彼は無言のまま棒のように立ッていた。（同前）

幼児の精神的な棒立ちは、そのまま現在の棒立ちである。養父母の問いの残酷さは彼ら自身の不遇と劣等感情から出ているので、例外なく動物生の中で這いずり回っているうちは同質のことをどんな親もやっている。しかし会話の三角形の頂点または逆三角形の底の点にある健三にとっては、生存の〈無意識〉を締め殺すほどの執拗な尋問に他ならなかった。

健三とお住が演ずる世話の場面は、人間と人間の直接的相互性を確かめ合うことに失敗し、孤立したままを続けるしかない。そこは頑迷な反復があると思える。ただお住が寝込んでしまうことは、凪がないだくらいの意味はある。実際にはすこしばかりの緩急や強弱は、生活ということを続けさせる要素になっている。健三は時間性への固執によって無意識の暗さを底の方から規定している場面をとらえている。もちろんそれは誰にも知られず、事態のくりかえしを巡っているだけだということに何も変更はない。ただ〈自然〉のクラックから見える先に〈苦〉を追い詰めたところで、作品としては成就している。

この後に書き始められた『明暗』では時間性が拡散している分だけ俗に流れて、漱石自身の死で未完に終わった。

芹沢俊介の犀星論
——ジャニーズ事件への手掛かり

高岡健

1

芹沢俊介は、「室生犀星―復讐とは何か―」という論考の冒頭で、犀星の有名な詩「ふるさとは遠きにありて思ふもの」を挙げ、〈ふるさと〉に対する「アンビバレントな感情」、すなわち「奇妙な屈折」を見出している。「遠きみやこにかへらばや」と書かれているように、「かへらばや」とうたう対象が、〈ふるさと〉ではなく〈みやこ〉であるところが、アンビバレントであり屈折だというのである——。

では、犀星にとって、〈みやこ〉とはどのようなものであったのか。犀星が〈みやこ〉をうたった詩の一つに、「都に帰り来て」がある。

眠ることなかれ
つねに冴えたる瞳をもて

都会のはてをうち眺め
どよみの中に投げ入れよ
〔略〕
輝ける街路のかたに
眼もくらやみ並木にすがり
みやこの海をわたり行け

ひらたく言えば、首都で一旗上げんとする決意が詠まれた作品だ。悪くすると空回りしそうなほど肩に力を入れた詩だというしかないが、嫌な気はしない。

＊

もう一つ、芹沢も引用している、「室生犀星氏」という自画像のような作品も見ておこう。

みやこのはてはかぎりなけれど
わがゆくみちはいんいんたり
やつれてひたひあをかれど
われはかの室生犀星なり
脳はくさりてときならぬ牡丹をつづり
あしもとはさだかならねど
〔略〕
とほくみやこのはてをさまよひ

　　　ただひとりうつとりと
　　　いき絶えむことを専念す

　芹沢は、この詩の最後の部分を引用しつつ、これは「〈みやこ〉びとへの変身願望」だと述べている。そして、そのような「屈折した表現」の「発想の背景」にある「犀星の独自な葛藤」を指摘している――。

　なるほど、眼を前半の部分に転じてみれば、〈みやこ〉に出ながら「いんいん」（殷殷、陰々、隠隠）としてやつれていくばかりの自画像を、故意に自虐的な筆致で描いていることがわかる。たしかに、屈折した表現そのものといってよい。

2

　では、「犀星の独自な葛藤」とは何か。

　芹沢俊介によれば、犀星の小説『幼年時代』に記された「了解不可能な被虐（先生により加えられる体罰）」に対し、「いつも俯向いて宿命的な呵責に震へているような私の目」があって、そこに「〈ふるさと〉の受感のしかたと限界がよく現れている」のだという。

「宿命」は、かつての芹沢のキーワードの一つで、「宿命的な呵責」とは、「生地に住む限り」そこから逃れられない何ものかを指している。その結果、〈ふるさと〉は、「復讐（むく）い」なければならない敵として自覚されてくると、芹沢は言う――。

『幼年時代』の「私」は、母から愛されずに育った少年で、学校では暴れ者だった。喧嘩をしては教師から居残りをさせられ、喧嘩以外でも学課で読み方がひとつ違っただけで居残りを命じられた。教師は「なぜ先生のいいつけどおりにしないのだ」、「なぜ先生をにらむのだ」と怒鳴りながら、「私」を殴った。「私」はこのことを誰にも言わず、「ただ心の底深く私が正しいか正しくないかということを決定する時期を待っていた」のだった。

まさに復讐を心に誓ったということに他ならない。だが、幼い「私」は、直ちに復讐に手を染めることは出来なかった。代わりに「私」が行ったのは、ボールドに「姉」という字を書いて耐えることだった。

＊

一方、『幼年時代』の「私」とは異なり、現実の犀星には、優しい姉はいなかった。足軽組頭で剣術指南役の父と女中とのあいだに生まれた犀星は、養子に出された先の赤井ハツという義母から、執拗な虐待を受けて幼少期を過ごしたことがわかっている（奥野健男「室生犀星入門」）。ハツは、不義の子を金銭と引き換えに貰い受け、家事に使い、長ずれば奉公や娼婦に出して、さらに金銭を得ることを職業としていた。知られているところによれば、ハツは犀星を含め少なくとも四人の貰い子を育てたが、そのうち義姉の「てい」は遊里に売られた。

かつて私（高岡）は、犀星の初期小説に描かれた内容に関し、教師からの暴力を空想的な愛へ転換する、被虐的な心理だと指摘したことがある（『別れの精神哲学』）。その意味で、ボールドに書いた「姉」とは、いわば空想上の母の役割を負った存在ということになる。このような『幼年時代』の理想の姉は、『性に目覚める頃』においても反復された形で描かれている。そこに登場する三人の女に対する「私」の心理は、いずれも捩じれている。とりわけ第三の女は、寺の境内で祈っているときは性欲的で美しいが。廓の座敷へ呼んでみると味気なくて失望する存在として描かれている。つまり、架空の母であった空想上の姉が崩壊する瞬間を、描いているということだ。

それにしても、犀星は架空の母としての空想上の姉を、なぜ性欲的存在として描いたのか。吉本隆明は、犀星の出生の因果絵図すなわち被虐待の幼少時代を破り捨てる場所は、人間の生理以外になかったと記している（「室生犀星─因果絵図」）。人間の生理とは、端的に言って男女の肉感を意味する。それ以外の何ものをもが、信頼するに足りないのである。

しかし、そのままでは復讐になりようがないこともまた確かだ。

3

「さくら石斑魚（うぐひ）にそへて」が首位入選となった頃より、萩原朔太郎から熱狂的な手紙をもらい彼を訪ねた頃までの期間は、明治四〇年の鉱山暴動、同四三年の幸徳事件、大正三年の第一次世界大戦に示されるように、「あたかも、日本資本制が独占的に飛躍的な上昇を就げつつあった時期」だと、芹沢俊介は指摘している。そして、ジャーナリズムを身につけたことのある犀星が、これらを知らなかったはずはないとしつつ、次のように述べている。

犀星が詩に定着しえたのは、単に自己の生地への嫌悪感と**復讐の意志だけ**だった。〔略〕〈みやこ〉へでることで、これまでの関係を清算し、そこから知的・社会的に上昇することによって、己れが受けとっていた疎外感覚に**復讐したいという願望**だけであった。（太字は引用者）

こうして、犀星は「膨張する資本制の方位にとりこまれ」た。だが、と芹沢は続ける。「復讐は、上昇志向が満たされた時に結果を迎えねばならぬ」──。

芹沢の言うとおりかもしれない。同様に、奥野健男も、「一日で片のつく政治上の問題で原稿紙をよごすのは真っ平ご免である」という犀星の言葉を引用しつつ、「犀星は人なみの、庶民なみの境遇を得ようと一所懸命」で、近代的自我に目覚めた「余計者と自分を眺める余裕などどこにもない」と、述べているくらいだ（「室生犀星の方法」）。

つまり、鉱山暴動も幸徳事件も第一次世界大戦も、何もないのである。代わりに、彼にあったものは、奥野の言葉によれば、「バスで乗り合わせた少女や場末の映画館でみた外国映画の女優、あるいは町であった乞食により触発」された内部世界のイメージだった。

＊

実際に、犀星は飽くことなく映画館へ足を運んでいる。しかし、『犀星映画日記』に収載されているメモを見ると、多くの作品が、「詰らず」「大したものにあらず」「冗らない」「笠置シズ子という人の顔を見たが、声のよい人にしては美貌でないのがお気の毒」といった、厳しい評価で切り捨てられていることがわかる。逆に褒めているのは、「砂漠の新月」に対する「女優の演技が大へんに初々しくて性的でよい」だとか、「鉄格子の彼方」に対する「石と鉄と蛆の貧民街の描写はなかなかよかった」など、ごく限られた作品についてに過ぎない。まさに、奥野のいう「庶民なみ」の映評とでもいうべきであろう。

小説「あにいもうと」から、いわゆる市井鬼ものを次々と発表し始めた昭和九年も、犀星は映画を見続けていた。上記の「砂漠の新月」を見たのも、この頃である。「庶民なみ」に映画を見続ける犀星のこの時期こそが、彼にとっては文字どおりのターニングポイントを形成していたということができよう。以下に、その点について触れる。

4

前項に記したターニングポイントとしての昭和九年について、芹沢俊介は次のように論じている。まず、「〈みやこ〉とは、所詮、〈ふるさと〉に対する犀星のやや強すぎる関係意識が打ち上げる幻影」でしかない。「〈ふるさと〉と〈みやこ〉という緊張した関係と考えていたものが、実は、自己と〈ふるさと〉との関係の逆立ちした投影にすぎなかったことに気づいたとき」、犀星は〈ふるさと〉を「市井」の問題として描いた。（高岡註・例をあげるなら「あにいもうと」がそうだ。）自分は復讐に本当は勝ったのではなく、負けていたのではなかったのか。そう気付いたとき、犀星には「市井の鬼が見えた」――。

つまり、この時期になって犀星は、はじめて復讐の本質について踏み込んで考えようとした。その結果、自己と〈ふるさと〉との関係を不可分のものとしてとらえなおすことが、可能になったのである。

続く昭和一〇年に、犀星は「復讐の文学」と題するエッセーを発表している。

他の作家は知らず私自身は様々なことをして来た人間であり、嘗て幼少にして人生に崇めるものはたゞ一つ、汝また復讐せよといふ信條だけであつた。幼にして父母の情愛を知らざるが故のみならず、既に十三歳にして私は或る時期まで小僧同様に働き、その長たらしい六年くらゐの間に毎日私の考へたことは遠大の希望よりもさきに、先ず何時もいかやうな意味に於ても復讐せよといふ、執拗な神のごとく厳つい私自身の命令の中で育つてゐた。（「復讐の文学」）

だが私自身がそれらの復讐の観念を次第に私自身から引き放して、人生全體のやみがたい哀れな卑屈な或る心理や、傲岸横着な悪い心に結びついていくことを最早止めることすら出来なかつたことは、當然すぎることであつた。愚直な私の気付いた頃は全く人生というものと私との境界がなくなり、私は文学と人生地帯の問をぐるぐる歩いてゐるやうなものであつた。（同前）

今日風にいいなおすなら、トラウマもアイデンティティポリティクスも、それ自体としては文学にはならないということだ。（なのに、勘違いした文芸作品が多すぎるのも、現代の風潮だが。）文学にまで昇華させたければ、自己と〈ふるさと〉との仮構の対立関係ではなく、自己と〈市井〉との混淆関係を描く以外にない。それが、逆立した幻影としての〈ふるさと〉と〈みやこ〉との関係から脱出するための、唯一の道だったのである。

＊

復讐すべき対象だった〈ふるさと〉との関係を市井一般の問題として止揚しえたとき、犀星の復讐は本格的に緒についた。そう芹沢俊介は述べつつ、「犀星は、なぜ、完全に非行化せず、無頼の群に身を投じなかったのか」と問うている。その回答は、「文学は、信条と化した復讐の成熟の過程で、その意志に合流してきたから」だった——。

やはり脚色されたトラウマをいくら拡張しても文学にはならず、排他的アイデンティティポリティクスをいくら拡張しても文学には至らないということだ。そうではなく、復讐の意志に文学が結合しうるとするなら、市井を見つめるという隘路をたどるしかなかったのである。犀星の記した「人生というものと私との境界がなくなり」とは、復讐の意志に初めて文学が合流したという意味に他ならない。

現代の若い世代が〈ふるさと〉から〈みやこ〉を目指すとき、携える手段としては文字表現よりも音楽表現のほうが、おそらく多いであろう。また、好むと好まざるとにかかわらずグローバリゼーションの時代である以上、〈ふるさと〉は国内の地方都市にとどまらずアジアや南北アメリカ大陸などの地球全域に、そして〈みやこ〉は首都東京にとどまらずニューヨークからロンドンなどの各先端都市にまで、拡大していることも確かであろう。

その一例を挙げてみる。二〇二三年における社会的ニュースの一つに、いわゆるジャニーズ問題があった。これまでにも散発的には知られていた、故・ジャニー喜多川による少年たちへの性加害が、次々と明らかにされたのだった。

この問題の論点は、本当は多岐にわたる。たとえば、あまり論じられていない点として、かつて〈病気〉〈異常〉とされていた同性愛が〈正常〉と考えられるようになったのと同じく、小児性愛も〈病気〉〈異常〉ではなくなる日が来るのかどうかという問題がある。（もちろん、仮に小児性愛が正常とされる日が来たとしても、不同意性交は刑法犯である。特に小児性愛の対象は子どもであるから、年齢差が五歳未満でない限りは無条件に刑法犯になるが。）加えて、現在においては、芸能界ばかりでなく、学校、保育施設、塾、スポーツクラブや児童福祉施設等で、子どもが性被害者となる事件の報道が相ついでいるにもかかわらず、保護者や施設職員等以外の者による虐待については、児童虐待防止法あるいは児童福祉法が適用されることはないという問題もある。

だが、それらの問題点については別の機会に譲り、ここでは一つの論点のみに絞ることにする。それは、〈ふるさと〉と〈みやこ〉の関係についてだ。

元・ジャニーズJr.のカウアン・オカモトは、『ユー。』という自著の中で、愛知県豊橋市のブラジル団地での生い立ちについて回顧したあと、次のように記している。上京しジャニーズ事務所で頭角をあらわした一方で、カウアンはジャニー喜多川による性加害には目をつむってきた。彼は事務所を辞めて音楽で世界を目指したものの、次々と仲間は離れていった。ブラジルへ帰り五輪がらみの仕事を試みたが新型コロナパンデミックのために全部なくなり、二〇二二年はどん底に落ち込んだ。自分は間違っていた、スターになったら変えられるんじゃなくて、闇を照らせるやつがスターになるんだ。二〇二三年、彼は日本外国特派員協会を含む各メディアを前に、ジャニーからの性被害体験を語った――。

カウアンにとっての〈ふるさと〉は、豊橋のブラジル団地だった。そして、復讐すべきものがあったとすれば、在日ブラジル人ゆえに、渡したラブレターを読むことさえされずに溝へ捨てられるといった、豊橋での小学校時代の体験に対してであった。一方、彼にとっての〈みやこ〉は、東京のジャニーズ事務所だった。そして、そこでの成功は、とりもなおさず〈ふるさと〉への復讐になるはずだった。しかし、ジャニー喜多川による性加害は、〈みやこ〉における成功がすなわち〈ふるさと〉に対する復讐であるといった、単線的な解決を不可能にした。

それればかりではない。カウアンは、いったん芸能界で築き上げた関係性のほとんどすべてを、事務所を辞めることにより失った。その結果、豊橋のブラジル団地から母国ブラジルにまで退却し、そこからこれまでの上昇志向とは別の道を歩むしかなかった。その道は、差別を受けた団地から性被害を受けたジャニーズ事務所のある東京への道とは違った、退却したブラジルから世界へと続くかもしれない道だった。しかし、それは平坦ではなかった。それでもその道を歩むためには、復讐を自分個人から引き離し、自分と〈市井〉（もちろん、そういう言葉を彼は用いないだろうが）との境界をなくすことが不可欠だ。だから彼はそのように行動した。そうすることによってはじめて、かつての単線的な上昇志向とは別の道が拓かれる。そう考えたのだろう。

＊

翻って、ジャニー喜多川の場合はどうだったか。アメリカ籍のジャニーの父は真言宗の日本人僧侶で、ジャニーの墓も高野山にあるという（二〇二三年一二月九日「毎日新聞」）。第二次世界大戦直前にアメリカで生まれたジャニーは、二年後に日本へ渡り、戦中は和歌山に疎開、戦後に渡米し徴兵されて朝鮮戦争に従軍した（同一六日「毎日新聞」）。現地では、貧困にあえぐ戦争孤児たちのため、彼らが米軍兵士の衣類をクリーニングすることで収入を得られるようにしたという。帰国後、ジャニーは、在日米軍の仕事をしつつ、渋谷のワシントンハイツに住んだ。

ちなみに、ジャニーの母が他界後、代わってジャニーに愛情を注いだのが、姉のメリー喜多川だった（同二一日「毎日新聞」）。彼女も和歌山に疎開、その後はアメリカへ戻り、日本人差別の中で子守や店員のアルバイトを掛け持ちして貧しい暮らしを支えたという。そして、ジャニーがワシントンハイツに住むようになった頃、メリーは四谷にスナックを開く。そこから先の事務所運営の手腕は周知のとおりだ。なお、彼女の墓も高野山にあるという——。

姉メリーは弟ジャニーの架空の母だったのか。姉弟の〈ふるさと〉は高野山だったのか、それともアメリカ・ロサンゼルスだったのか。また、姉弟にとっての〈みやこ〉とは、事務所を開いた東京だったのか。そして何よりも、姉弟に復讐の対象はあったのか。あったとすればそれは何だったのか。さまざまな疑問が浮かんでくる。

想像をたくましくすれば、アメリカ時代のメリーには復讐を誓っても不思議ではない状況があり、姉を母代わりに慕ったジャニーにとってもロサンゼルスの苦しい生活は復讐を誓うべき対象であったといいうるかもしれない。しかし、〈みやこ〉での成功者でありつづけようとした姉弟に、犀星が抱いたような、あるいはそういう言葉を用いないにしてもカウアンが決意したような、〈市井〉との境界をなくす志向があったかどうかは、知られている情報の限りでは疑わしいと言うしかない。

換言するなら、少なくともジャニーに、自分の暮らした渋谷のワシントンハイツからロサンゼルスを経て高野山へと、いったん退却する志向と思考があったなら、彼の性嗜好は変わらなくとも、事態は変わったかもしれない。だが、〈みやこ〉での成功物語は、〈ふるさと〉に対しても〈市井〉に対してても、ジャニーの視線を遮断し続けた。そこに、性嗜好とは相対的に別の、彼の限界があった。そのため。メリーとジャニーの姉弟が〈ふるさと〉へと回帰できたのは、死後に高野山へ葬られてからであった。

吉本隆明の対談を読む

鮎川信夫を軸に（1）

勝畑耕一

吉本隆明（１９２４〜２０１２）は対談とどう向き合っていたのだろうか、まずジャーナリズム（出版社）の編集者によって対話相手が設定され、場が決められる。当然のことながら、この人とならば対談、鼎談が成り立つに違いないと見込まれたテーマが双方に事前に伝えられる。もちろんそこで交わされる対話が、読者を惹きつける、両者の関心事であることも肝要だろう。吉本からすればこれまでの相手の仕事が、吉本がすでに発表しているテーマに関わることが前提となる。ただ単に互いの意見の交換というだけでは実のある形にならないという。

相手の言葉が自分の言葉にあたって波紋のようなものが、自分のなかで拡がるのを感じたとき、快楽の匂いをきくように思われる。（吉本隆明『五つの対話』あとがき）

詩的なよい表現だと思う。お互いの言葉がイメージを増幅し拡がってゆくというのだ。更にテーマへの接近は、話題の流れの方向についてのイメージに拠る、と吉本は述べている。プラトン『対話』の独白体にせよ、エッカーマンが質問をしているように見えてゲーテが巧みに構成を誘導している『ゲーテとの対話』にせよ、まず対象がもつ差異が語られ、その後その対立と思われる双方の考えを進展させる形で同一性の結論が求められるという。ただ相対・差異と言っても、それは同一性の結論を得るまでの表裏の理念で、吉本はそこに弁証法的な思考を読み解いている。

ところで吉本が唯一オーラを感じたというフーコー（１９２６〜１９８４）など外国人との対話は直接の言葉ではなく通訳を介してなので意図的に「できるだけ面倒なことを聞きだそう」とするそうだ。しかし一期一会の出会いでの外国人との対話からは「実りのある対話が成り立つ可能性は余り考えられない」というのが本心だという。実りある、とは互いの意見の相互の交換は成り立ってもそれが互いを刺激するには至らず「波紋のような」感情も生まれず「快楽の匂い」の感激も生まれてこないということだろう。そもそも「言葉・思考の風習・風土の環境・社会構成の個々人の違い、そういったことで、ちぐはぐさなしには対話は成り立つことはあり得ない」という。その「ちぐはぐさ」を埋めるために、校正時にはダブッている個所を削り、断定と強勢の表現を極度に避けようとしたり、対談後のゲラを前にすると対話者や読者を意識し自己抑制が働いてしまう。つまりあいまいで軟調なものにしたいというモチーフが内心に芽生えてくるというのだ。

吉本ともっとも多い対談をしている鮎川信夫（１９２０〜１９８６）はどのように知り合ったのだろうか、三十代の吉本が鮎川と埴谷雄高（１９０９〜１９９７）を年長の先達として一目置いていたことは周知の事である。一方は戦後詩の先鋒『荒地』を主導し一方は『近代文学』の主要な同人であった。

とりあえず初期吉本の創作活動をこの二人と知り合った時期の歳月を年譜からまとめておこう。『現代詩手帖』1972年8月臨時増刊号川上春雄の「吉本隆明年譜」『年代抄』を参考に筆者が補った。

昭和二十二年（1947）23歳

府立化学工業高校（化工）からの級友、加藤進康らと工業大学電化会で『季節』を創刊。古典論と詩を発表。太宰治『春の枯葉』の学内での上演許可を得に太宰を友人と訪問。数学科教授の遠山啓（1909〜1979）を識る。「量子論の数学的基礎」を一度も欠かさずに最後まで聴講する。

昭和二十三年（1948）24歳

大阪の詩誌『詩文化』に投稿を始める。この詩誌での東京の関係者の集まりに参加、上京した小野十三郎（1903〜1990）、安西冬衛（1898〜1979）と会う。この時に秋山清（1904〜1988）に会い、後に長谷川龍生（1928〜2019）も知る。

昭和二十四年（1949）25歳

やはり『詩文化』に投稿していた年下の諏訪優（1929〜1992）の詩誌『聖家族』創刊に参加。引き続き『詩文化』に評論も投稿。この頃に二年間、東工大特別研修生として在籍。しかし復学した吉本が「敗戦とはなにか、大学とはなにか、学問とは？」との心の問いには教職員も学生も回答することなく、再開された大学に「醜悪さと嫌悪感をくすぶらせていた」のも事実である（『追悼私記』の遠山啓）。

昭和二十五年（1950）26歳

大学後輩の奥野健男（1926〜1997）を知る。奥野は英文学の伊藤整（1905〜1969）と懇意になり、吉本の動向を60年安保までたえず伊藤に伝えている。『初期ノート』といわれる詩篇を翌年にかけて500編書いたのはこの頃か。

昭和二十六年（1951）27歳

「日時計篇」としてまとめられた詩、330編が作られる。絶縁スリーブ工場、化粧品工場に短期間勤めたのはこの年前後か。

昭和二十七年（1952年）28歳

八月、父からの資金援助をうけ私家版で『固有時との対話』を刊行。十一月、奥野の勧めで伊藤整を交えて「角笛の会」と称する『固有時』の出版記念会が催される。この時吉本はすでに東工大の特別研修生一期二年を修了しており、戦前の化工同期、やはり東工大での特別研修生であった北川太一（1925～2020、高村光太郎研究家）あての私信でこの経緯にふれている。

ご無沙汰しております。その後お元気のことと推察致します。こんなもの（『固有時との対話』）が出来上がりましたからお送りします。僕の還えらない青春の歌はこんな形でしか表現されていませんでした。今後詩をかいてもそれは僕の内的な意味付けからは、芸のない三十男の詩に相違ありません。

（以下略）

吉本はこの年、求職活動をしていたのだろう、この年末には東洋インキ青砥工場に就職する。

昭和二十八年（1953）29歳

労働組合長になり労働機関紙『青砥ニュース』を刊行。『転位のための十篇』を私家版で発行、更に『近代文学』に詩を発表。翌年『荒地詩集1954』に参加しているから、この頃すでに『近代文学』と『荒地』に何らかの接点があったと思われる。この年の秋、鮎川は『転位のための十篇』に魅せられ「著者に会ってみたいという強い誘惑にかられた」という。吉本に地図を送ってもらいアポなしで葛飾上千葉町（現・葛飾区京成線のお花茶屋、堀切近郊）の自宅を訪ねるも不在、今度は吉本が国立の鮎川宅を訪ねるがこちらも不在だった（『吉本隆明論』「固窮の人」より）。

昭和二十九年（1954）30歳

二月に西久保巴町（現・港区虎ノ門）沢田屋での『荒地』の同人会で二人は会う。この後転居を繰り返す鮎川の元を吉本は頻繁に訪れたという。奥野、服部達らの『現代評論』同人になり『マチウ書試論』を発表。荒地詩人賞入選。『新日本文学』に寄稿。

私は当時、回復するあてのない失職と、ややおくれてやってきた難しい三角関係とで、ほとんど進退きわまっていた。職を探しにでかけて、気が滅入ってくると、その頃青山にあったかれ（鮎川）の家へ立ち寄った。そのままとりとめのない話をしては、夜分まで入りびたったりしていた。

（『鮎川信夫論』「交渉史について」）

昭和三十年（1955）31歳

二年後に上梓される『高村光太郎』に関する評論を「高村光太郎ノート・戦争期について」として書き始める。光太郎は昭和二十七年秋に花巻郊外より、東京中野区桃園の画家・故中西利雄のアトリエに転居、光太郎の許可をえて定期的に訪問していた北川に、資料収集の一環なのだろう「高村さんに、こんなことを聞いてきてくれないか」と吉本は何度か伝えたという。戦争責任論争が始まる。鮎川より『詩学』の嵯峨信之を駒場の民芸館で紹介される。

昭和三十一年（1956）32歳

東洋インキ青砥工場を組合運動で追われ、退職する。四月、光太郎没。黒澤和子と結婚。

昭和三十二年（1957）33歳

遠山啓の紹介で長井・江崎特許事務所に就職。光太郎全集（筑摩）の刊行が北川太一を事務局として始まる。吉本はその第一巻の月報を書く。『高村光太郎』（飯塚書店）を刊行。長女多子誕生。

ここまでの歳月が初期吉本の創作第一期とみなしてよいだろう。すでにこの時点で初期三大詩集（「マチウ書試論」を長大な散文思想詩としてくくって）がまとめられている。鮎川は「固有時」には暗鬱な個我意識の内面性を、「転位」には苛烈極まる極左思想性を読み解く。更に端的に「固有時」の寂寥、「転位」の瞋り、「マチウ書試論」の憎悪、ととらえてたどり着いたここまでの地平を次のように敷衍している。

この「自然」の観念のなかには彼の寂寥も瞋りも憎悪も、中和させるような何かがあり、「力への意志」を大衆に還元するような何かがある、と私には思えるのである。

（鮎川『吉本隆明論』）

今回は鮎川との半世紀前の対談を俎上に載せてみたい。昭和の時代には言葉の上の個人口撃はそれほど悪意に取られなかったようだ。最初は黒田三郎（1919〜1980）についてである。黒田三郎は晩年に日共系の「詩人会議」の委員長を引き受けた。当初は担ぎ上げられたくらいにしか周辺の詩人や「荒地」の仲間たちも思っていなかったが、のせられ活動させられたのではなく、相当強固な意志をもってコミットしており、もっと本格的であることが鮎川・吉本には感じられたという。吉本は語る。

共産党があって、それが一種の進歩のシンボルである、あるいは反体制のシンボルであって、大なり小なり知識的なことに携わっている人が、その周りに加担していくという構図とか図式が強固に信じられてる世界がある、そういうことにびっくりしました。

こういう人って、なんかぼくには大昔の人みたいな気がして（笑）。（中略）黒田さんはどうしてもそういう図式を信じていて、そこから脱することを一度も考えなかった。

（「現代詩手帖」1981年7月号「思想と信仰の論理」）

鮎川はその図式の根本に迫り、マルクス主義というのは、一つの体系でしょう、それ自体の体系を持っていて、不変性が信じられるんだよ、そのなかでは、ととらえる。「そのなかでは」を吉本も強調している。人が老いて社会生活のなかで「生活体験」に縛られざるを得ない限り、新しい人間関係を求めて宗教に入ったり、自分の場を探し、自由を求める動きをすることは一つの態度であるという。更に吉本は鮎川との対談で直球の本音を次々に投げ、てらわずに堂々と発言している。

ぼくはやっぱり二つおかしいと思うんですよ。岡庭昇（1942～2021）とか菅孝行（1939～）という人たちは、反動的なのはよくないけれど進歩的なのはいいことだという考えをもっている。全くナンセンスですね。（中略）別に「進歩的文化人」が特にいいというわけではないし、特にわるいわけでもない。

（同）

このことは少し解読する必要がある。考え方として「進歩」という名において「進歩は善」という信仰を保証するものは何もないということ、「進歩」の対立項は「反動」でも「保守」でもなく、その手の論法は「同類の中の異類」に安住しているエセ文化人の発言だと鮎川・吉本は述べているのだ。吉本は更に「彼ら（岡庭・菅ら）はアンチ共産党的なことをやり、あるいは新左翼的なことを言っているけれども、ほんとうはそうじゃない。どこかで（共産党側に）変われるんですよ。徹底的に突き詰めたことがないからですよね。」とし、この二人への舌鋒は鋭く、直截的である。しかし菅は『試行』に寄稿したこともあり、『吉本隆明論』も書いている。次の情況へ吉本の発言は、レーニンが考え出した「職業革命家」、いわゆる職革という概念についてである。

（働いた報酬としての）銭はどこから持ってくるかわからないけれども、生活のために働いて銭を貰って、というところからくる思考の制約、あるいは思想の制約から免れていなくてはならない、免れている奴が（前衛の）中核にいなければいけない、という概念から「職業革命家」という概念をレーニンは作ったと思うのですよ。（同）

レーニンはマルクスの体系をゆがめて「進歩」がいいという宗派理念としての概念を作っていったという。戦争観を宗派理念の中に組み込み、普遍的であるべき思想を党派の中での「信仰」として演繹していった。そのことを吉本は鮎川との対話で突き詰める。

封建的な国家と資本主義的な国家が戦争したら資本主義的な国家のほうがいいんだ、何故ならば資本主義的な国家のほうが進歩しているから。資本主義的な国家と社会主義の国家が戦争したら社会主義の国家が勝つんだ、何故なら社会主義の国家のほうが進歩して……。（中略）本当は

もっと複雑な言いかたなんですが、根底的にはそんなことを言い出したのはレーニンが最初なんです。（同）

吉本はここで、「思想的な、あるいは理路としての真理というものを、信じているか、信じていないか」の問題だとする。宗教に組み込まれる、あるいは政治党派が語る「思想と信仰」にはうわべは何やら高尚な素振りをみせても、理路としての真理は含まれてはいない、普遍性のある思想ではない、というのだ。ここで吉本の鮎川評をみてみよう。鮎川は早稲田の英文科出だからか「タイム」「ライフ」「ニューヨーク・タイムズ」など四つの英字雑誌・新聞を読みこなすという。アメリカについて語る鮎川を吉本はこう評す。

彼が一度も訪れたことのないニューヨークの街を、他者にイメージを与えうるように語れる想像的な才能におどろいた（中略）、日本以外の国について鮎川信夫のように語れる知人は、ソビエト・ロシアの社会について語るときの内村剛介くらいしかいない。（吉本『鮎川信夫論』「交渉史について」）

吉本が三十歳代初めにどのような状態だったか、端的に語った文がある。敗戦後の大学の無気力に満ちた雰囲気、その中で支えになったのは遠山啓「量子論の数学的基礎」の講義であり、後輩、奥野健男・北川太一の温かなサポートであった。もう一方には鮎川への思想的対話を求めての傾斜がある。しかし残念ながら鮎川との関係は結婚と特許事務所就職を機に終わることとなる。

この時期、わたしの人性上の問題について、もっとも泥まみれの体験をあたえ、じぶんがどんなに矮小な人間にすぎないか、あるいは人間はいかに矮小であるかを徹底的に思い知らせ、わたしのナルシチズムの核を決定的に粉砕したのは、失職後の生活上の危機と、難しい恋愛の問題との重なり合った体験であった。そして、この体験においてわたしの人性上にもっとも痛い批判を与えたのは、記憶によれば、一方は鮎川信夫や奥野健男であり、一方は遠山啓氏であった。（同）

同輩の北川は光太郎の情報を伝え、後輩の奥野は無償の友情として吉本を励まし、その詩作品を伊藤整ほかに知らしめたに過ぎない。（奥野・吉本二人の写真が吉本家には額に入って床の間に置いてある）鮎川もぶらりと訪ねてくる吉本の話の相手を一度も嫌がらずにしただけの事である。ただ遠山には格別の感情があったようで、重たいゆっくりした口調で語るその講義を「大切な情景として」その後も度々思い出すという。

〈講義の内容もさることながら〉もっと大きいのは遠山さんの淡々とした口調の背後に感得されるひとつの〈精神の匂い〉のようなものの魅惑であった。（中略）わたしに〈学問〉を学校の講義で感じさせたのは遠山さんがただ一人であった。

（『追悼私記』）

この講義から受けた感銘を「切れ味の軽快さよりも抜群の重みを、整合性よりも構想力の強さを背後に感じさせる」としているが、これはその後の『言語美』『共同幻想論』に向かう吉本の骨格を形成する根幹にも重なるのではないだろうか。今回の初期吉本を下地に、次回は鮎川との対談をもう少し探っていこうと思う。

【資料】

女の方法

荒井和子

外出の支度をすませ狭い階段の降り口へ立つて、男が、出掛の言葉を呟いた時も、女は黙つて顔を上げなかつた。

部屋の中に脱ぎ捨てられている古びた男の〈部屋着〉を畳む操作が、あたかも出て行く男に対抗し得る唯一の手段ででもあるかのように、女は、熱心な手つきでそれを続けていた。

男は、その堪念な手つきの中に、押し込められている女の焦立ちを見た。それは鋭く男の心を刺した。

男は、部屋の隅に並べておかれた、二つの仕事机の方をちらつと見た。

「〝創潮〟の残りは、僕が帰つて来てから切るから……」

女は黙つていた。

「きみも、あんまり無理しない方がいいぜ。」

女は、やっぱり黙っていた。

そんな男の言葉など、女はまったく聞いてはいなかった。ただ毎度のことだが、出て行く男の、〈出て行き方〉に注意を払っていたのだ。

一段一段と、男が階段を降りて行く足音に、女はじっと耳を傾けた。男の足どりはたしかであった。その足どりのたしかさが、女には不可思議なものに思われた。階段は、十三段あるのだ。男はそれを知っているだろうか。もう、男は〈不在〉であった。表戸が開いた。そして閉った。その音こそは、女に、たしかであった。

〈不在〉の意識が、ひしひしと女に迫ってくる。それは、次に男が帰ってくるまで、女につきまとって離れないものだ。しかし、男が傍にいたからとてどうということもない。男は、またいつか行ってしまうのだ。

女は、畳あげた男の〈部屋着〉を、部屋の隅に放り投げた。畳まれた〈部屋着〉の畳み目がくずれ去った。

男は出て行く。なんのために出て行くのだろうか。そして帰ってくる。なんのために帰ってくるのだろうか。そうした〈二つの世界〉を渡り歩くことによって、男は、女の知らない〈何か〉を充たしているのではないだろうか。

女は、部屋の隅にくずれた男の〈部屋着〉を見据えた。男には〈部屋着〉というものがあって、出て行く時には、それを脱ぎ捨てて行くのだ。（わたしにも、脱ぎ捨てるものがあるのかしら。）女は、着古した自分の袷の胸に目をおとした。（いや。）女の前には、その一枚看板の袷のような、〈荒廃の日常性〉という〈一つの世界〉があるだけなのだ。この、十三の階段を、登ったり降りたりする日常性だけが。

女の目は、自分の袷の衿の、その斜線をたどつていた。薄く衿垢のしみついたその斜線は、すり切れていた。女は、すり切れた街の坂を思つた。その、すり切れた街の坂を、〈ハンチング姿〉の男が登つて行くのだ。

女は、ふいに立ち上つた。

（出て行くその男の姿を、もう一度たしかめておく必要がある。）

女は、階段をかけ降りて戸外へとび出した。

ようやく明け染めた夜明けの道路の真中に立つて、女は、男の登つて行く坂道の上を見やつた。コバルト色に明け放たれた坂の上の空に向つて、男の後ろ姿が黒い影をひいて登つて行くのが見える。その男の姿は、あたかもそのまま、大空の中へ分け入つて消えてしまうかのように、女には思われた。坂道には、人影ひとつ犬の子一匹見られない。こちら側から見ると影の多い暗い家並が、男と女の間に、二条のベルトのようにまだ重く眠つているだけである。

男が坂を登りつめた時、女はふつと、男が振り返つてこちらを見ることを期待した。しかし、そんなことのあり得ないことも、女は充分に知つているのだ。坂のてつぺんで、男の姿はすとんと消えた。女の、一瞬の期待もすとんと消える。あとは、邪魔つけな一点のしみを呑み込んでしまつたコバルト色の空間だけが、一層その鮮かさを増して拡がつているだけである。

女の予期した通りの過程で、男は女の視野からも〈不在〉となつた。その、女の視外の世界で、男にどのような生活があるのか女は知らない。男の属している組織の機密のために、男がなにひとつ語ろうとしないからだろうか。いや、そんなことなら、女には手にとるように解る。解らないのは、男の〈前身〉なのだ。ある日、ふいにこの坂の上からやつて来た、男の〈前身〉なのだ。その日以来、男はやつて来ては去る。そうなのだ。ここから出て行つては帰つてくるのではなくて――。それなのに、女は待つてしまうのだ。どだい、ここのものではない男を、〈不在〉と感じて待つてしまうのだ。この荒れ果てた女の二階の一室で。

女は、刺すように坂の上を見た。その坂の上の空に、ここのものではない男の〈前身〉を、見きわめようとでもするように、女の視線は鋭かつた。そこで、男は空へ消え失せたのだろうか。女は考える。たとえそうでないにしても、問題は同しことだ。男は、〈不在〉なのだ。男は女から去つたのだろうか。たとえそうでないにしても、やはり問題は同しことだ。男が、要するに一この〈不在〉なのだ。一コの〈不在〉として、女の手に、在る。

女は、閉ざされた二階の窓を見上げた。それは、女が男を知る前から、女の住んでいる〈二階〉であつた。女は、足もとに視線をおとした。そこには、でこぼこの道があつた。それも女が男を知る前から、女の立つている〈地面〉であつた。附近の家屋の荒廃が目立つた。しかし、それもやつぱり、女が男を知る前から、女の周囲をとりまく〈荒廃〉なのだ。女は、この荒廃の中にあつた、男を知る前の自分の日々を想い出そうとした。来る日も来る日も、ただ果てしない〈荒廃の日常〉があつた。

（その中で、わたしはどのように生きていたのだろう。）

たしかに、男を知つてからの、このような焦立ちはなかつたにちがいない。しかし、果てしないその〈荒廃の日常〉の中で、女は、やはり〈何か〉を待つていたように思う。〈何か〉とは一体なんなのか。女は、はつとする。（その、果てしない〈荒廃の日常〉の中で、わたしは男を知る前から、〈男の不在〉を待つていたのではないか。）

〈男の不在〉。それは、女が男を知る前から、女のもつている〈不在〉であつた。

（いつそもう、あの男がやつてこないことが、はつきりしてしまえばいいのだ。）女は、腹立たし気に呟いた。だが、男はやってくる。あたためられた寝床の中へ入り込むように、やすやすと、自然にやってくるのだ。その自然さが女を焦立てる。

（わたしは、いつあの男を容れてしまったのだろうか。）

女は、三たび坂の上を見上げた。やはりさっきと同じコバルト色の空間が、ただ前より一段と輝きを増して、拡がっているだけであった。女は、焦々して視線を転じた。

女の家の右手には、戦時の名残りの用水桶がおきさらされてあった。女は、ふとその内に目をとめた。内側には、暗緑色の水苔がぴったりと発生し、どろどろと暗く濁った水の表面に、薄い氷が張っているのだ。女は、近よってのぞき込んだ。氷のおもてに、女の顔が暗く映った。

女は、すかすようにして、じっと氷のおもてに映っているものを見た。そこには、あの、鏡の映し出す衰弱というものさえなかった。あるのは、容貌のない黒いぼんやりとした〈形〉ばかりであった。（これがわたしだろうか。）女は、そのたよりない黒い〈形〉の中に、男を容れた自分の根元を、まじまじと見る想いであった。女は、ふっと、自分のくされた肺を聯想した。（これが、わたしなのだ。男を知る前からわたしには、男を容れようとする、この暗い間隙があったのだ。）

女は、めまいをおこしながら顔を上げた。女は軽く咳き込んだ。震動するその肺の中にも、どろどろした暗緑色の濁り水がよどんでいるのを、女は感じた。水底には、子供達がいたずらした石ころや、紙屑や、酔漢の投げ込んだ新聞紙などが、あたかも汚物のように沈んでいるのだ。その、暗く小さくし切られた水溜めから、女は目を放すことが出来なくなった。女は、じっと見つめていた。じっと見つめていると、四角のし切りが溶解して、どろどろした暗緑色の濁りが、世界の拡がりに変るのを感じる。

道路は、相変らずしいんとしていた。その中に、石のように黙つている荒廃した家屋の列があつた。その列の中に、女の二階の窓の荒廃もあつた。荒廃の日常というものが――。それは、音もたてなかつた。女は焦々した。この荒廃の前には、荒廃しかなかつたのだ。この荒廃のあとにも、荒廃しかあるまい。ここから、どこへ出て行くことができるか。女は、泡沫として消える無数の〈物語〉を想つた。

押え切れぬ焦立ちが女を捕えた。女は、再び水溜めの中に視線をかえした。その、暗緑色に濁つた水溜めの中の女の顔、どろどろと〈男の不在〉をよどませ、黒い穴のような、もう溶け去ること以外に変化といつてはない氷のおもての女の〈形〉。（これがわたしなのだ。）女は、石を投げつけて氷を砕きたい衝動にかられ、歩みかけて止どまつた。これを砕いたとてなにになるか。

（あの男をもつて、わたしの、この〈不在〉に耐えねばなるまい。）

この〈不在〉に耐えねばならない。

女は、手術をしようと思つた。それは、あのどろどろとした肺の中の濁り水をとり去ろうとか、その中で溶け去ろうとかいうことではないのだ。そうした、生きようとか死のうとかいう可能性のためにではなく、むしろ、それらの可能性一般を、封殺するためにである。女は、くされた自分の肺を中心に、群らがるあやしげなそれらの情念をとり払つた位置へ、〈科学〉の、あの冷たいメスを置きたかつただけだ。あの、冷たいメスを。

（この〈荒廃〉の中に風がおきるのだ。今こそ強く生きなければならない。メスとは、殺意にほかなるまい。）

暗い坂道を降つて、男が、女の二階へやつて来た。

女は、静かな目で男を迎えた。男は、おやつと思つた。〈あの焦立ちはどこへいつたのだろう。〉男は、くるつと壁に向いた。それは女の目をくらます、男のいつもの習慣であつた。ハンチングをとり、外套を脱いで、それらを壁の釘にひつかけ、男は〈部屋着〉をまとつた。変身が終ると、男は、やつとまともに女の顔を見る。〈さあどうぞ。〉男は、始めて人間のように笑つた。

「おかえりなさい。」

男は、女が前よりも一層痩せて、あおざめているのに気付いた。その女の目の奥に、男はいつものように女の焦立ちを探つてみた。しかし、異様に澄んでいる女の目の中には、もう焦立ちのかけらもなかつた。その目の中にあるのは、男の見知らぬ女の表情であつた。それが、男を不安にした。

「また無理をしたね。」

女は、軽く笑つていた。

「お食事は?」

「ああ、君がまだだつたら……。」

言いさして男は仕事机の方を見た。女の仕事机の上には、おびただしい原稿の束や、切り損じた原紙の屑が乱雑に積まれていた。

「なんだつてこんなに――。」

男は眉をよせた。

「お金が欲しかつたの。」

食卓を拭きながら、女はなに気なく言つた。

「お金?」

「ええ、あたし……。ちよつと計画したことがあるの。」

「けいかく?」

男は、日頃から組み立てていた自分の計画を想い出した。男の頭の中は、すぐそのことでいつぱいになつた。

「けいかく? ああ、そうなんだよ。実は、ぼくも考えていたんだ。」

「………」

女は、食卓を拭く手を止めて男の顔を見た。

「あのね。この生活を変えようと思うんだよ。」

「そうなの? あたしも、この生活を変えようと思つたのよ。」

男は、ふつと黙つてしまつた。女は、男と同じことを言つているわけなのに、なぜか男は、封じられているように思つたのだ。

食卓の上のコツプに、男の知らない奇妙な花が一輪さしてある。そんなことは、この部屋には珍らしいことであつた。男は、その花に目をうばわれた。

「きれいだね。」

「そう?」

女も、その花の方を見た。

「なんの花?」

「知らないのよ。」

「なあんだ。買う時は聞くもんだよ。」

「知らない花よ……欲しくなつたの。」

男は、またふつと黙つた。その、もろい感じの花弁に、すけるように輝く電燈の光りを、男はじつと見つめていた。

「方法がちがうのね。」

女は、その花のおとす、暗緑色の影に見入つていた。

「実は、ぼくね。言おう言おうと思つてたんだが……。」

男は、言いさしてまたためらつた。自分の声が、女の身体の中へおちこんで、消えて行くように思えたのだ。その感じをこらえながら、男は一つ気にしやべり始めた。

「ぼくはね。きみを見ていてやつぱりちやんと結婚しなけりやまずいと思つたんだよ。引つ越しをしよう。そうすりやきみだつて、こんな不明瞭な立場ではなくぼくの友達にも会えるし、……ぼくの仕事を知る機会もできるしさ。………今までみたいにいらいらしなくつても、すむようになると思うんだよ。」

言葉を切つて、男はぐるつと部屋の中を見まわした。

「ここは……なんといつても、きみの部屋だから　ねえ。」

女はこたえなかつた。そして、どこへ行つたつて同じことだと思つていた。引つ越しをしようがしまいが、男の友達が来ようが来まいが、男は、要するに、その新しい部屋から、去つたりやつて来たりするだけのことではないか。女は、自分の見入つている暗緑色の花の影が、目の前の卓上で溶解し、あのどろどろした濁り水となつて拡がつて行くように感じた。女は目を閉じた。〈この〈不在〉に耐えねばならない。〉

「あたしはね。手術しようと思うの………。」

女は、静かに自分の計画を語り出した。

「手術？」

「ええ、そう。手術をしようと思うの。くさつた肺を、切りとる手術よ。」

「手術。」

男は、ちよつと考えこんだ。

「手術………。」

しかし男は、一分もたたぬ間に明るい顔つきとなつた。

「そうか。そうだね。そいつは気がつかなかつたよ。その前に、身体をなおしちやつた方がいいわけだね。」

女は、黙つて笑つていた。

「もつと、早く言つてくれりやあよかつた。」

「だつて………。急にそうしたくなつたんですもの。」

「それで？　お金はどのくらいかかるの？」

「いいのよ。手術費だけは用意したわ。」

「用意した？　そんなに？」

男は、女の仕事机をちらつと見た。

「それで………。馬鹿だなあ。身体こわしちやうじやないか。」

「だつて。どうせ手術するんじやないの。」

女は、声を立てて笑い出した。その女の笑い声につられて、男も笑い出した。

「そうか。きみにも、そんな建設的な考えがあつたとは知らなかつたなあ。」

「建設的？」

だが男は、しんから愉快そうに笑い出していた。

「よし。じゃあ、あとの療養費は、おれなんとかするよ。」

山頂を征服する前の快感を、男は感じ始めた。

「それで？　手術、危険なことはないの？」

女の目の奥を、男の見知らぬ不思議な光が走り去つた。

「九十％の安全と、十％の危険率だそうよ。」

「そうか。それじゃあ、まずまず大丈夫だな。」

うなずいた男の頭の中に、ふつと、以前医者の友人から聞きかじつた、肺外科の知識がよみがえつた。

「ねえ。きみの場合だと、整形の方が安全なんじゃないの？」

女は、そうつと頭を振つた。

「駄目よ。絶対、肺剔でなきゃ………。」

「そうかい？　で？　お医者は？」

「好適応ではないけれど、できないこともないつて言つたわ。」

男は、目を宙に据えて計算するように言つた。

「九十％の安全率か。すると………。」

「十％の危険率よ。」

女は、また低い声を立てて笑つた。つねに九十％に賭ける男の陽気さが、女の笑い声の中を急速におちていつた。十％の危険をもつて〈男の不在〉を生きようとするその女の目の奥に、男の見知らぬ不思議な光が走り去つたのを、男は、再び不安な想いで見つめた。

（この女は、手術が失敗することを希んでいるのではないか？）

【解題】

荒井和子の小説「女の方法」に関わって

宿沢あぐり

今回掲載された小説の作者である「荒井和子」は、故・吉本和子（以下、「和子」と略す）の旧姓であり、故・吉本隆明（以下、「吉本」と略す）の妻である。

「女の方法」は、『創潮』第一号（A5変型判一四八ミリ×二〇五ミリ　四十七頁　内ホチキス止め昭和三十年三月十五日発行）に発表された。一九五五年のことである。

発行所は「創潮社」、発行者は「吉本隆明」、発行所、発行者とも住所は「文京区駒込坂下町一六三三和荘内」となっている。

この号には、五人が寄稿、呉松栄次「防犯綺談」、吉田弘宣「絶筆」、血脇啓壽「かくれんぼ」、荒井文雄「雑文二つ」、それに和子の小説である。吉本の作品は掲載されていない。

「編集後記」には、「※期待していた吉本隆明の原稿が、締切りまでにまにあわなかつた。「近代文学」へ発表する長い詩のために時間をとられたからである。残念だが、次号にまとめて出すことにする。

A・Q・K」と記されている。

ここで「「近代文学」へ発表する長い詩のために」とあることからすると、その作品は「破滅的な時代へ與へる歌」で、『近代文學』四月号（東京都千代田区神田小川町三ノ八（河出書房内）近代文學社　編集兼発行人・埴谷雄高　通巻九三号　第一〇巻第四号）ではないかとおもわれる。

和子は、『寒冷前線』（一九九八年九月十日　深夜叢書社刊）の「あとがき」で、「結婚して間もなく夫から「もし、あなたが表現者を志しているのだったら、別れたほうがいいと思う」と云われた。理由は、一つ家に二人の表現者がいては、家庭が上手く行く筈がないという事であった。吃驚したけれど夫は既に、二冊の本を自費出版していたし、ちょっと辛どい恋の後でもあったので、友人とも相談し、「ま、子育ても表現のうちか」と納得することにした。」と書いている。

ここで「表現者を志している」といわれた「表現」とは「小説」であり、「女の方法」は、その小説の一篇であり、吉本と結婚する以前の作品である。結婚後もしばらくは小説を書いていたかもしれない。

和子は、昭和二年（一九二七年）四月二十八日、黒澤浩、きよ夫妻の五人きょうだいの二女として、東京市下谷区谷中上三崎南町（現・東京都台東区谷中五丁目）で生まれる。兄には吉本と同年生まれの充夫がいる。

父・浩は、太平洋戦争以前から、研究社で編集の仕事をしており、雑誌『受験と学生』の編集長をしたこともあった。浩は、充夫が早稲田大学理工学部の建築科をあと半年ほどで卒業する矢先に病気で逝去。

充夫は家族を養うために、アルバイトで研究社の雑誌『家庭と農園』に描いていた表紙絵や挿画を認めたホーム社の編集者に誘われ、条件もよかったことから筆一本でやっていくことを決意、学校から惜しまれたが中退。その後、ホーム社をやめ、研究社の英和大辞典の挿画をはじめ、さまざまな辞書などの挿画を描き、日本の代表的な英和辞典のすべての挿画を描くことになる。また、無償で『試行』の表紙の装幀、復刻版のデザイン、叢書の装本の決定もおこなうことになる。

昭和二十一年（一九四六年）、吉本は二十一歳のとき、長大な「宮沢賢治論」を脱稿し、出版しようとして地平社の編集者であった千代田稔と知り合い出版を託したが、陽の目をみることはなかった。千代田は、宮沢賢治の弟の清六と親交があり、高村光太郎が清六の家に疎開したときに身辺の世話をした人物。

この千代田のいた地平社に、編集者として働いていた荒井文雄と親しくなり、荒井が葛飾区の小菅に住んでおり、当時の吉本の家と近かったこともあり、二人でガリ版刷の詩誌『時禱』をつくることになる。

その後、荒井は、地平社がつぶれた後、葛飾区の小学校の教師の職に就くことになる。

この頃のことを、吉本は三田英彬の取材に対して、つぎのようにこたえている。

「今から考えると無謀な話で、出版はならなかったんですが、このとき原稿を読んでくれたのが、千代田稔という編集の方で、この千代田さんと仲良くなったんです。この人は花巻の宮沢賢治の家に寄宿したことがあって、ちょうど高村光太郎と一緒になって、光太郎の世話をしたこともあるという人でした。この千代田さんの同僚にＦ・Ａさんがいて、やはり詩を書いているということで知り合うんです。その頃ぼくは京成お花茶屋のおやじのところにいまして、Ａさんは小菅に家があって近い。ふたりで『時禱』という名のガリ版の詩の雑誌を出し始めたんです」

（三田英彬『芸術とは無慚なもの――評伝・鶴岡政男』山手書房新社刊より）

ここで、「F・A」とイニシャルで書かれている人物が荒井文雄である。

この年、十一月二十日、『時禱』(東京都葛飾区上千葉町一三二二　時禱社　発行者・東京都葛飾区上千葉町一三二二　荒井文雄)創刊号発行。

十二月二十日、『時禱』(東京都葛飾区上千葉町一三二二　時禱社　発行者・東京都葛飾区上千葉町一三二二　荒井文雄)第二号発行。

翌、昭和二十二年(一九四七年)三月三十一日、『時禱』(東京都葛飾区上千葉町一三二二　時禱社　発行者・東京都葛飾区上千葉町一三二二　荒井文雄)第三号発行。『時禱』はこの号で廃刊している。

和子は、府立第一高等女学校から東京第一師範学校女子部本科(三年)を卒業して小学校の教師をしていたが、肺結核のため約一年で休職したのちに退職。

昭和二十四年(一九四九年)六月、教師をしていた小学校の同僚と結婚。相手は荒井文雄。和子が二十一歳のときのことである。

昭和二十九年(一九五四年)、吉本は、清瀬の療養所として知られていた国立療養所清瀬病院(現・国立病院機構東京病院)に入院していた和子の見舞いに行く。このとき和子二十六歳(もしくは二十七歳)。

川端要壽は、この頃のことをつぎのように書いている。


荒井和子の親友、矢代静子の証言によれば、

「和子さんが清瀬療養所にきたのは、昭和二十九年三月頃です。当時、私は長期療養で入っていたのですが、和子さんは外科手術だけだったので、六カ月ほどで退院しました。私が和子さんと

親しくなったのは、私が同人雑誌をやっていたからです。共通の趣味からです。『魚紋』という雑誌でした。その頃、吉本さんが一人っきりで、和子さんを見舞いにきたことがありました。吉本さんは顔を伏せたまま和子さんと話をされていたので、私はどなたかわかりませんでした。とにかく、ご主人（荒井文雄）ではなかったのです。和子さんは吉本さんが帰られてから、『あの方は主人のお友達で、詩人の吉本隆明って言うのよ』と説明されて、初めて吉本さんを知ったのです。二、三回見えられたと、記憶しています」

（『堕ちよ！さらば　吉本隆明』河出文庫より）

矢代静子（筆名「屋代絢子」）が同人として参加していた雑誌『魚紋』は、東京都北多摩郡清瀬町にあった国立清瀬病院の清風会文化部の「魚紋詩話会」が発行していた詩作品を中心とした雑誌で、大江満雄に指導を受けていた。

余談ながら、昭和二十九年十二月に発行された第四十四号には、当時入院中だった飯島耕一も「あるプロテスト」という作品を投稿している。

屋代絢子は、昭和三十一年に退院するが、そのときには『魚紋』の発行責任者にもなっていた。

ところで、荒井文雄、和子夫妻のアパートは、文京区の弥生町にあり、詩以外に、絵も描いていた荒井のもとには、文学や美術関係の青年たちがよく集まっていた。

吉本も、以前からの交流もあり、荒井のところを度々訪れていた。

近くに住んでいた画家の鶴岡政男も訪れている。

鶴岡が台東区の谷中に住んでいた頃から親交のあった吉本は、弥生町に三ケ月ほど部屋を借りていた鶴岡のところにも幾度か訪れている。

鶴岡はのちに、吉本の『高村光太郎』（飯塚書店刊）のカバー装幀を手がけることにもなる。吉本は、前掲の『芸術とは無慚なもの――評伝・鶴岡政男』のなかで、三田英彬の取材につぎのようにこたえている。

「谷中からちょっと上がった、今の根津弥生町ですね、藍染橋のある十字路があって、不忍通りですか、これを渡って坂の途中で右に入ると、弥生ハウスというアパートがありました。ここにF・A（荒井文雄―宿沢注）さんと、まあ今のぼくの女房ですが一緒に住んでいたんです。ぼくはまだ研究生（註・東工大卒業後の特別研究生）だったかでしたね。Aさんが詩から絵に変わりつつある頃で、鶴岡さんも寄ってたんで、ときどき一緒になりましたね。杉原さんもお仲間の田原史さんと一緒に、よくみえていました。織田達朗君も当時松坂屋に勤めていたかして来ていたし、毛利ユリ君という今は書かなくなったが美術批評をやってた人も遊びにきていました」

昭和二十九年（一九五四年）、和子は、かねてから親交のあった鶴岡政男から、病弱で学校も休みがちだった小学校四年生の次女・美直子の学習をみてくれるよう頼まれる。

吉本と和子、二人のエピソードが、美直子によって、つぎのように書きとめられている。

わたしは学校で長期欠席のあと、弥生町の和子先生の処に勉強に通わされた。和子先生は肺結核でいつも寝ている。アパートの奥の裏山の若葉の影から木漏日が射している。大きな透んだ目をした先生の面長な顔が美しいので、先生と逢うのが楽しみになった。古い洋館のアパートには長い廊下伝いに幾つもの部屋が続いている。和子先生は優しい静かな声で教えてくださる。白い長い指が頁をめくっていく。書き取りをしているあいだ、先生は寝ながら木で吊された本のページをめくり読書を続けている。そんなある日、吉本隆明氏がやってこられた。枕元に座り込まれて話込まれているので、わたしは自習になる。次の週も吉本氏はやってこられた。それからわたしはふいといかなくなった。一年も過ぎたろうか、先生の部屋を訪ねると和子先生も御主人も誰もいない部屋があった。和子先生と吉本氏は間もなく結婚されたと聞いた。

（鶴岡美直子『ボタン落し——画家鶴岡政男の生涯』美術出版社刊より）

昭和二十九年十二月、吉本は、上千葉の家を出て、文京区駒込坂下町一六三番地にある三和荘（現・文京区千駄木三丁目四五番一四号）に転居（十六日付け入居契約）。二階建てアパートの二階。四畳半一間。共同トイレ。

翌、昭和三十年（一九五五年）二月十一日、吉本と和子は、慶応病院神経科に入院中の島尾敏雄の妻・ミホのいない島尾の家を訪れている。荒井は一緒ではない。

この頃には、吉本たちは、すでにのっぴきならない三角関係になっていたとおもわれる。吉本たちが訪ねてきたときのことを、島尾が日記に書いている。

奥野、吉本、荒井嬢来る。ビール6本、ウイスキー持参して、子供たち喜んではしゃぐ。政弘来る。（田舎に行き松之助オジにミホのことをきいて）政弘つまみに、ハムなど買ってくる。子供たち寝かせる。分裂症のこと、佐々木〔基一〕、平野夫人ガンで入院（？）との事。政弘一家の不幸なこと、吉本の弟分裂症治癒した事、十一時半頃まで話して行く。

（島尾敏雄『「死の棘」日記』新潮社刊より）

三田英彬の取材に吉本はつぎのようにこたえている。

「Aさんの奥方が、ぼくの妻君になったわけですが、Aさんとの間がすったもんだみたいになって、三者三様、三すくみのまま自滅かと思われたような惨憺たる状態になりました。Aさんも傷ついて、三人とも傷ついいたんですが、なんとかかんとか切り抜けたんですねえ」

（前掲『芸術とは無慚なもの――評伝・鶴岡政男』より）

また、川端要壽は、『堕ちよ！さらば　吉本隆明と私』では、この頃のことをつぎのように書いている。

「実は俺、君には初めてなんだが、夫のある女性と恋愛中なんだ」

私（主人公の「佐伯」（川端）―宿沢注）は酒の入っている湯呑み茶碗を置くと、つまみせんべいを取った。《夫のある女性》という言葉は、ふと私に笹村保子をダブらせていた。保子が十条の店（後述）に来てから、すでに二ヵ月ほど経っていた。それ以来、私たちは会っていなかった。

「俺と同じだな」私はつぶやいた。

するると、吉本は顔を上げ、

「君もか」と微笑を浮かべた。

「子供はいるのかい？」私は言った。

「いや子供はいない」

私は保子の子供たちのことを考えていた。保子の家を出てから丸二年経っていたが、それ以来子供たちとはまったく会っていなかった。母親似の祐子は高校を卒業し、いい娘になっている筈だった。

「夫という人は、君のことを知っているのかい？」

「勿論だ。昔からの友人だ。知っているかな、荒井文雄。一緒に詩をやっていた……」

「ああ、『時禱』の時の……。会ったことはなかったが」

私は戦後まもなくの、上千葉町の彼の家の部屋の情景を想い浮かべていた。同人誌『時禱』が『大岡山文学』などと一緒に、彼の小机の上にあったのを――。

「年上なのかい？」

「いや、俺たちより一つ下だ。府立第一高女出だよ」

「へえ……」

吉本は空になった湯呑み茶碗に酒を注ぐと、そのまま私のにも注いだ。

「君たちの関係はいつごろからだ？」

「彼女は二十四、五年頃から知っていたが、いつごろから恋愛関係に入っていたと言われても困るんだな。まあ、ここ一、二年ってとこだろう」

ほとんど私と保子の時季と一致していたのだ。

「それで、荒井文雄は、君たちの関係を知っているんだな」

「ああ、知っているとも」

「そりゃあ、まずかったな、知られたというのは」

吉本はまたもやパールに火をつけると、せわしげに喫い始めた。

——なんて不器用な男なんだろう。いや、これが吉本流なのかもしれない。それでも彼女と別れないというのは……。

私は図太くかまえていられる吉本の神経にあきれていた。私だったら、恋愛はすでに終焉を迎えていたであろう。

（中略—宿沢注）

「それが不思議なんだなあ、俺が彼女の家に行くと、きまって学校から電話がかかってくるんだ。そして彼女に、吉本が来ているだろうって、荒井は問いつめるんだ。予感っていうやつかなあ」

「いや、予感なんて、そんな甘いもんじゃないよ。六年も七年も一緒にいれば、亭主は女房の顔色一つで一挙手一投足くらい読みとれるもんだよ。それで不安になって、確かめるわけさ。勿論、彼女は君には喋ってないだろうが、荒井文雄に一部始終を告白している筈だよ。それが夫婦というもんじゃないかな。実は俺の場合には経験があるんだ。ちょうど二年前、俺は彼女の家に下宿していたんだが、直接家を出る原因になったのは、夫の勘にやられたんだな。二十九年の七月だったよ」

私は戦慄するような情景を、まざまざと想い浮かべていた。そして、ピースを口にくわえながら彼に語った。

（中略—宿沢注）

吉本は終始無言で、私の話に耳を傾けていた。そして、時おり煙草を深く吸い込んだり、茶碗に口をつけたりしていた。話し終ると、彼は言った。

「それなんだな。その主人は君と直接対決しないという、それなんだよ。俺の場合でも、荒井は俺に対して、決して自分の口から、和子と別れてくれ、とは言わないんだ。いや、それどころか、俺と和子が会うことを承認してしまうんだよ。一層のこと、決闘でもしてくれたら、俺はどんなにか救われることか！　俺には、そんな荒井の心理状態がさっぱりつかめないし、またそんな荒井の出方が、よけい俺を苦しめるんだ」

（中略――宿沢注）

吉本たちの恋愛にとって、いちばん地獄の辛酸を舐めたのは、荒井和子にほかならなかった。和子の恋愛は彼女自身の情念の世界を作り上げ、吉本と荒井の情念の間に位置し、彼女が吉本を断ち切らねばならぬという倫理との葛藤に苦悩しているところへ、荒井が夫という社会正義の魔剣をひっさげて切りこんだからである。まさに、和子の神経は、ズタズタに切り裂かれたに違いない。

荒井和子が夫荒井文雄と別居したのは、私が吉本を訪れたその日からまもなくであった。和子は吉本の住んでいた駒込坂下町にほど近い文京区根津にアパートを借りたのである。この別居という形態をとった時点で、近い将来和子と吉本の同棲は既定の事実となった。後年、吉本は私に語った。

「ある日、突然彼はウチのの衣類一切からふとん一式まで、自分の家に持ち運んでしまったんだ。ウチのはいくところもなく、俺のところへ転がりこんできたわけだ。そう、彼から離婚届の用紙が送られてきたのは、それから三ヵ月ほど経ってからだったかな。そして、彼はその用紙を受け取りにきた際、俺にこう言ったんだ。七年間のうちには、君たちの恋愛の結末がつくよ、ってね」

引用がかなり長くなったが、フィクションでもありながら、当時のことがうかがいしれるのではないかとおもわれる。

昭和三十一年（一九五六年）三月頃（推定）、『創潮』第二号（創潮社　発行者・吉本隆明）。吉本と和子の作品が掲載されているか不明。

七月頃より、すでに荒井と一緒に暮らしていた弥生ハウスを出て、台東区の入谷で一人で暮らしていた和子と、三和荘で一緒に暮らしはじめる。

十月、北区田端町三六五番地の有楽荘（現・北区田端一丁目一一番二〇号）に二人で転居。ここは、新築二階建てアパートの二階。六畳一間。共同トイレ。

十一月二日、荒井文雄、和子の離婚成立。和子は姓を黒澤にもどし、文京区駒込坂下町に戸籍をおく。和子二十九歳。

翌、昭和三十二年（一九五七年）五月二十一日、吉本と和子は入籍。

和子がどれほど小説作品を書いたのかはわからない。『創潮』は第二号まで発行されているのはわかっているが、そこに発表された作品があるかどうか、また発表されているとしても作品が「女の方法」の続編であるのか、別の作品であるのかは不明である。

吉本ばななは、和子のこの小説を読んだことに関して、つぎのように書いている。

　去年、原宿駅の上の猿田彦珈琲で街を眺めながらサンドイッチを食べて珈琲を飲んでいたら、突然、見知らぬ人からメッセージが来ました。そういうのはたいてい読まないのですが、ふと読んでしまった。そこには、「僕の父があなたのお母さんと結婚していたことを父の死後に知りました」って書いてありました。びっくりして変な声を出してしまいました。横には父と母と私の続きとしての子どもがいました（お会いしたときは小さかったけど、もう二十歳です）。

また別の日、姉が両親の遺品を整理していたら、母と母の夫（メッセージをくれた人のお父さん）がやっていた同人誌に母がとんでもなく暗い小説を書いていたのを見つけました。その同人誌の編集後記には「吉本隆明氏の寄稿があるはずだったが、間に合わなかったので掲載できない」って書いてありました。全体から略奪前夜の気配を感じドキドキしましたが、なにより父はこんな頃から締め切りに堂々と遅れてたんだな！　と思いました。

母の夫の息子さんとは今度会うことになっていますが、不思議な気持ちです。

彼らが別れなければ、私も彼もうちの子もこの世にいなかったのですから。

（「吉本ばななの影から、村上春樹さんへ」『新潮』二〇二三年六月号より）


この「女の方法」の掲載については、著作権継承者である吉本多子さんの承諾を得ている。解題においては、すべて敬称を略させていただいた。

なお、吉本たちの生活史の一部については、石関善治郎の『吉本隆明の東京』（作品社刊　二〇〇六年一月三十日　第二刷発行）を参照している。

【資料】【単行本未収録】

討論

（1971年5月9日開催の「マルクス者とキリスト者のティーチイン」〔会場／西荻南教会〕第2部での「討論」）「止揚シリーズ2」から抜粋

（三島康男・笠原芳光・吉本隆明・ティーチイン参加者）

キリスト教の普遍性

三島　いろいろ問題がでているわけですが、わたし自身はちょうどいまトンネルじゃないかという感じで、まっ暗いなかでゴソゴソやっていますから、そんなようなことをいったという印象をもっていただけばいいと思っています。おおくの人間と国家とは繋がりがないというところは、吉本さんが拾ってむしろ吉本さんの問題意識で面白いほうにもっていって下さったように思います。ただ神を捨てろということはあまりいわなかったので、いちおう想定として神をとっちゃうとどうなるか、ということでやったわけです。キェルケゴールの場合、人間のどうしようもなさというを追求して神に帰結していったわけですが、その問題意識を神への意志といったわけで、そのへんをどう考えるかということでいったわけです。イエスに対する角度は笠原さんとちょっとちがっているように思いました。まず、神の問題が吉本さんと笠原さんのあいだで少しちがっているというところから討論していただいたらと思います。

吉本　それはひじょうに簡単なことなので、ぼくがいったわけではないのですが、ユダヤ教がどうして普遍性というか世界普遍性をもたないで、キリスト教が世界普遍性をもったかということについては、エンゲルスの『原始キリスト教』というのがありまして、そのなかでエンゲルスはわりあいに的確にいっているのです。ユダヤ教というのはいずれにせよ、ユダヤの地なる神といいますか、つまりその地なる風俗、伝統というものと宗教としての観念性とを切り離せなかったから世界性がないんだ。それに対してキリスト教は一種の人間の内面の王国のところへ宗教、神の概念をもっていった。つまり、発生の基盤であるその地域の土俗性というものから、キリスト教は神の概念を切り離すまで、つまり一般的に人間の観念の問題だというところまで切り離しえたから、それで世界性をもつようになったのだというふうにいっているのです。そこのところで、よろしいんじゃないかと思います。ぼくが、宗教性つまり祭祀権とか宗教的権力をもつと同時に政治的権力をもつというような問題をいった場合には、それはひじょうに土俗的なドロッとしたものを切り離さないところでの宗教性なんです。つまり土俗宗教性ということなので、それ自体は地域的に強烈なのだけれど、普遍化することはいっこうにできないというような意味での宗教性ということですから、そこはキリスト教の神の概念がもつ普遍性というものとはちがいます。そういうところのちがいではないかと思いますけれどもね。だから、きいていてあまり矛盾を感じなかったのですが。

笠原　キリスト教が普遍化して世界宗教になったからよいというふうには、わたしはかならずしも思えないので、そのことによってイエスがむしろひじょうに変形されて拡大していったと思うわけです。イエスというのは、わたしはいまたいへん無理して普遍的な概念でのべましたが、そういうふうに伝わらなくていいわけで、伝わらないのがほんとうではないのか。ですから、キリスト教になると、やはりそれを普遍化したり世界化したりしなくてはならないから、いっしょうけんめい命を賭してまで伝道し、それによって逆によろこびをえたりするような妙な心理構造に陥っていくわけですが、イエスは伝道なんかしなかったわけですよ。それで、いっしょうけんめいそういうふうにやったのはパウロなんかを中心としたひとたちであって、キリスト教というのはそういう意味で、ひじょうに熱心にひとを救済しひとの世話をやく宗教なのです。イエスはあまりそういうことはしないで、ただ自分の周辺におるひとと出会って、そしてそのうちにあまり自由だったから殺された。それだけのことだろうと思います。そのことは、ひじょうに尊いことだと思います。命を賭して伝道なんかするよりも、そういうふうにぶらぶら（じゃないけど）、自由に生きて死んだというそのことぐらい尊いことはないんではないかと思います。そのことはあまり知られてないわけです。キリスト教なんかになっちゃったものだから。しかし、キリスト教のなかでも一種の地下水のようになって、流れてきたような気がするわけです。キリスト教にならなくても、そういうものはいずれどこかでやはり伝えられるわけです。こんなにたくさんひとが集まるところでは伝えられないかもしれないが、二、三人ぐらいでゴソゴソやるようなところでは伝えられるだろう。それでいいんじゃないか。それでしかしかたがないんじゃないか。そのことの尊さ、意味というものをひじょうに思いますね。ですから、キリスト教というのは、あれはペテロ教、パウロ教なんで、イエスとはかなりちがっているわけです。たいへん簡単なことなんですけれども……。

国家をどうみるか

吉本 いまのこの図の説明をきいても、やはりぼくはおもしろいと思いますね。この関係は（笠原氏の図を指して）。つまり、「それはバクーニンとたいへんよくにた意味で、おもしろいと思うのです。とことんつきつめられた考え方だというので、その、たいへん学ぶべきところがあるとぼくには思えます。ただ、ぼくがおかしいと思うのは、それはバクーニンもおかしいと思ったのでしょうけれど、つまり、市民的共同体と国家とは同じではないということなのです。市民というのは、人間が社会のなかに住んでいるときに市民という概念がでてくるのであって、国家というのは観念なわけです。つまり、市民社会の上層にある観念を国家というのです。それから、共同体というのもさきほどからいっているように、共同体が即国家であるということではないのです。だから、共同体という概念と国家という概念とはちがうので、その場合、厳密には、たとえば国家としての〈共同体〉というようないい方をしないと、うまく辻褄があわないということです。そういうところはひじょうに無造作だなというふうに感じていました。けれども、考え方としてはつまりとことん追いつめてるなという感じで、ぼくはたいへん参考に供すべきだというふうに思いました。ぼくのほうが、こう、キリスト教に……（笑）。

笠原 そういうことですね。

市民というのは、やはりバルトが西洋市民社会の住人であったところから、市民社会と国家というのを簡単に同一視して考えたと思うのですが、市民でない概念としては、たとえば、常民とかそういったものとしてあるわけですか。

吉本 そうではなくて、要するに常民というものでも、市民というふうに規定したければしていいわけです。厳密にいいますと、社会過程にいる人間です。〈きょう食べて、どこか働きにいって、そして帰ってきて〉という、そういう人間、そういう社会過程にいる場合に市民という概念がでてくるのです。国家というのは、ぜんぜんそういうものではないのです。つまり、社会過程にいるかいないかということとは関係ないことなのです。国家というのは観念なのですから。それで、観念を司るために、国家にはいろんな機関があって、たとえば何々省とか何々大臣とかいうのがいて、そしてその下にまた委員会があるわけです。けれども、それは市民社会のなかの過程、つまり生活しまた生活し、というそういう過程のなかにある問題ではなくて、本質的には観念なのです。ただ、その観念を、観念だけではいけないからということで、条文に記そうじゃないかというと、それが法律になりますし、また、それを運用しようじゃないかといえば、国家の公務員みたいなのがいて、そしてそれを運用しているわけです。それは、社会のなかで〈生きて生活して働いて〉ということとはまったくちがう次元のことなのです。国家というのは、そういうものなのであって、それはぜんぜん混同できないということだと思います。

笠原　そうすると、国家の死滅と国家の止揚。つまり、国家がなくなるということはないわけですね……。

吉本　いや、そんなことはありませんね（笑）。国家は、死滅してもらわなくてはこまるわけです（笑）。共同体というものも死滅してもらわないとこまるわけです。

笠　観念が死滅するわけですか。

吉本　いや、でも、国家観念だけが人間の観念ではありませんからね。個人観念もあるわけですし、さきほどの性、セックスについての観念もあるわけですからね。だから、全部死滅するわけではないんですけれども。

笠原　国家という観念は死滅すべきであると……。

吉本　そうだと思いますね。

ただ、死滅すべきではあるけれども、問題は〈ただ死滅すればいい〉ということではなくて、死滅する過程ですね。つまり、どういうことかといいますと、国家というのは、市民社会の上層に聳えている観念として存在してしまったということのなかには、それが善であれ悪であれ、人類史が、もう、しょうがなくてつまり、現実に通ってきてしまった形態ですから、それをこわすためにはそれそうとうの手続きがいるということがあるわけです。それがなければこわせない、なくならないということだと思うわけです。だけれども、それはなくなったほうがいいと思います（笑）。なくなるべきだと思います。

それは単に国家だけではなく共同性というものも、あるいは共同体というものもなくなったほうがいいと思いますね。

笠原　そうすると、共同幻想というのはなくなる？

思想の相対化と位相

吉本　そうですよ。そうです（笑）。

つまり、人間の不可解なことというのは、さきほどのトルストイの倒錯でもそうなのですが、不可解なことのなかでも、いちばん不可解なのはつまりそういう共同幻想というふうなものです。つまり、なにか共同性があるかのごとき共同の観念というものは、ほんとうならば重荷になるだけなのですけれども、しかし不可避的にそういうものを生みだしてきてしまっているということ。そういうところが人間の心――観念といわないで心といってもいいのですが――の作用のなかでいちばんこわいところだと思います。

だから、そういうこわいところというのは、とにかく人間というのは、重荷だというふうにわかっていても、そういう重荷を自分でつくりだすという特性があるのでね。動物には、そういうのはないから、ただフラッとしてりゃいいってわけですね（笑）。

だけれども人間の特徴というのは、やはり観念でそういうことを考えてつくってしまうことです。かならずしも自分にとってよいとは限らないのだけれども、なぜか不可避的につくってしまい、そしてそれが自分を圧迫するものになってしまうというようなことができるということは、ひじょうに重要な問題なのです。だから、そういう重要な問題、重要なことは、もたないほうがいいにきまっているのです。重荷ですから、ないほうがいいにきまってるのですけれども、それをまたこわすためには、やはり、それそうとうの手続きがいるということが問題なのだと思います。

それだから、その手続きのために、たとえば政治過程というのがあるとすれば、あるいは制度、秩序というものの過程があるとすれば、やはり、〈それをこわそう〉というひとつの政治過程というものが生じてきますと、また、思想過程というものが生じてくるという具合で、人間の観念の働きの、つまり正と反っていいましょうか、その逆立の仕方というものは、そういうふうになっていくと思うのです。つまり、そのことは、あの、そういうことは、いずれにせよくだらんことじゃないかということは、ぼくもそう思うのです。ただ、あの、くだらんことだから、たとえば笠原さんが〈俺は、そういうことを考えねえんだ〉といったって、そりゃ、その、つまりはたからいいようのないことで〈ごもっとです!!〉というほかないのです。

あの、つまり、こうなんです。もっと極端なことをいったほうが、わかりやすいわけです。あの、ひとりの人間がね〈どんなに、どうして、どうなるか〉ってことはね、これは〈政治〉にとっても〈思想〉にとってもどうでもいいことなのです。つまり、自由なわけなのです。つまり、あるひとりの個人というものをとってきた場合に、この個人が〈俺は、とにかく大金を儲けて、大資本家になってやろう〉と思おうと、〈俺は選挙かなんかにでて、しまいには内閣総理大臣になってやろう〉と思おうと、そういうことは政治過程にとっては、ちっともなんでもないことなのです。つまり、どうでもいいことなのです。〈そういうことをそういうふうにいう奴はけしからんぞ〉というふうに、ぼくはちっとも思っていないのです。つまり〈ひとりの個人がどういうふうに思うか〉ということは、〈共同性〉にとっては問題にならないことなのです。つまり、どうでもいいことなのです。自由であるということなのです。だから、たとえば〈ぼくはこういう考え方をもっている〉といっても、それについては、もういうべきことをもたないといいますか、なにもいうことがないので〈そのとおりだ！〉というか（笑）、〈そうですね〉というしかないのです。ただ、そういうことだけで〈人間の観念の世界〉というものは、全部をつくせるかというと、そうじゃないということを、ぼくはいいたいので、それ以外にも〈俺はこうしたいからこう生きるんだ〉ということ以外にも、人間が自分個人として他の個人とむすぶそういう〈観念の世界〉、つまり自分ひとりでは構成できないけれど、もうひとり他にひとがいれば、二人のあいだでなら構成できる〈観念の世界〉というのもあるのだよということです。それは、たとえばセックスならセックスというものの世界なのだよということ。それからまた、政治とか制度とかというものは、そういうものではなくて、つまり政治とか制度というものは、まったく〈個人がどういうふうに生きて、生活して、そしてこう考えてこうしている〉ということとは関係のないところで、国家みたいなものをつくっちゃって、そこでモチャモチャやってて、モチャモチャやっているなら〈われ関せず〉でいいのですけれど、ときどき税金を納めろとか……。まあ、それはそうですよ。さっき、三島さんがいったように〈おおこの畜生！　こういうのはぶちこわしたほうがいい〉と思っていると、むこうもやっぱりぶちこわさせまいと思って無理したりするわけです。つまり、そういう〈観念の世界〉も〈人間の観念の世界〉にはありうるんだということ。つまり、そういう次元の問題に対してね、〈俺はこう考える〉という生き方、つまり、〈俺はこう考えてこう社会に生きてこう死ねばいいんだ〉というふうにいうことはね、それ自体を自分でえぐらないと、つまり〈それがすべての世界だ〉と思ってはいけないだろうということがあると思うのですよ！ それでもって人間の観念の働きの世界を全部つくせると思うのはいけないので、つまり、〈俺はこう考えてこう生きてこう死ねばいいんだ。だから、こう考えるんだ〉というふうな自分の考え方というもののもつ〈位相〉といいますか、そういうものはやはり自分自身でよく相対化できていないと、まあちょっとはたからどうしようもないっていうか、いいようがないっていうことになってしまうと思うのです。ぼくはそういうことについて、なにかいうつもりはぜんぜんないわけです。そういう次元では。つまりそういう次元では、ぼくは国家はないほうがいいと思っていますし、権力はないほうがいいと思っていますし、ああいうのはつぶしたほうがいいと思っていますけれども、そう思っていなくて〈俺、権力者になろう〉と思っているひとがいても、それは別にぼくにとってはどうでもいいといいますか、それはなんらの問題にならないと思うのです。だから、それはそれでいいと思うのです。だから、それはいいのです。いいのですよ（笑）。つまり肯定するのです。けれど、そういうこととはまったくちがう次元の〈観念の世界〉というのを、人間はちゃんとつくっちゃってあるんだということ。それは具体的には制度としてつくっちゃったり、国家としてつくっちゃったり、そしてそこに法律をつくっちゃったり、それからまた、それを扱う裁判官とか、裁判官にもいろいろいて青法協みたいなのもいるしそうじない裁判官もいますし、いずれにせよ両方とも国家の機関に従属している奴にはちがいないので、そういうのはつまり両方ともいなくなっちゃったほうがいい！（笑）というふうな考え方なのです。つまりだから、そういう世界もあるということをね、やっぱり、ちょっとね、そのなんか、こう自分の思想というものを、あの、ぼくらもそういうことはたえず感じますけれども、自分の思想というものを、たえず相対化するということ、あるいは対象化するということを自分でしてないと〈狂うぞ〉っていうことが、ぼくはあると思うのですよ。うん。そういうことなんですけれどもね（笑）。

三島　フロアーのほうで発言したくて、うずうずしている方がたくさんおるように見えますし、ここでばかりやっていても仕方がないと思いますから、そちらへまわします。もうすこし討論にふくらみをもたすようなかたちでぜひ発言していただきたいと思います。

市民的、国家的良識

場内から　個人が他者と関係する場合にコンセンサスというものができると思う。それが国家との繋がりにおいてナショナル・コンセンサス、市民社会においては市民的コンセンサスというかたちになると思う。その場合、新しいコンセンサスの必要性を感ずる。が、あまり意識化されてないと思う。その点を話してほしい。また、必要以上に国家があってはならないが、パトロンとしての国家は必要である。しかし戦前の社会がそうであったように、コンセンサスの関係が裏側になって逆の論理が正当化される時期が、いずれ日本にくるだろう。そのときの共同体のあり方は、いま曖昧なかたちでしか捉えられていない。そのへんの問題を具体化しなければならない。（要旨）

吉本　あのね、それは、ぼくと大部基盤がちがうので、なんともあれなんだけれど、ぼくのは簡単なのです。つまり国家的な良識というのも認めねえ、そんなのはねえほうがいいと、だからそれと同じように、あなたのおっしゃる市民的な意味での良識というのもないほうがいいと思っているわけです。だから、全部ないほうがいい（笑）というふうに思っているのです。でも、なんらかのかたちで国家というのはパトロン的な意味でも必要なのではないかという考え方は、あるのはよく知っています。

けれど、ぼくはその考え方を認めないのです。つまり、それは個人についての考え方ではありませんから、すくなくとも制度についてのある見解ですから、ぼくはそれを認めないのです。そういうのは、いかんのじゃないかというふうに思っているわけです。

それならば〈どうすりゃいいんだ、どういうプログラムがあるんだ〉ということについては、ぼくなんかがいうまでもなく、すでにたとえば、ひじょうに優れた革命家なんですけれど、レーニンというひとが、これはもうとことんまでつきつめていっているんです。じゃ、どうしたらいいのか、それは簡単なことだ。つまり、それは、〈権力〉つまり国家のたぐい、国家とか制度とかそういうものはことごとくなくなったほうがいい。つまり、あなたのおっしゃったパトロン的な作用というのもすべて含めて、いわば〈権力〉というふうにいってしまいますと、その〈国家権力〉というのはなくなっちゃったほうがいいと。それじゃ、〈権力〉はどこにいったらいいんだ。それは要するに、なんでもない〈住民〉のなかに〈権力〉が移行するのがいいんだということなんです。それで、なんでもない〈住民〉のなかに〈権力〉が移行しますと、どういうことになるかというと、つまり、いまだったら、たとえば〈俺、なんとか試験を受けて、それで裁判官になってやろう〉なんて奴がいるでしょう。それは、青法協であろうとそうじゃなかろうと、そう思ってなったんだから、そういう奴はいずれにせよ、そうなると、なんとなくえらいっていうか、〈権力〉を自分がもつような感じを楽しめるわけですよ。だけれども、もし〈国家権力〉が別に政治的にどうだこうだと考えないなんでもないひとのなかに移行した場合には、もう町会のごみ当番と同じで、いやでいやでしょうがないわけですよ（笑）。つまり〈お前やれ、一年やれ〉といわれたって、まあ、〈俺そんなのいやだよ〉（笑）というと。〈だけど、しかしこりゃ輪番制だからしょうがない。お前一年やれ〉と、それでまあ〈輪番制なら仕方がない〉といって一年やると。そして、また次のなんでもない奴が〈一年やれ〉といわれたら、一年やりゃいいわけですよ。つまり、なんでもない〈住民〉のなかに〈権力〉が移行していくということが、究極的にレーニンが描いた姿なんですよ。だけども、それはごみ当番とは問題がちがうのであって、すでに強力な統一的な市民社会をあるていど、全部じゃないけれど、おおうにたりるような制度として国家が聳えたっている限り、現存する限り、そして、そういうふうに現存してきたことが、人類の歴史がたとえば四千年なら四千年の必然的経過、ある意味で不可避的な経過であった限りにおいて、それをやはりつぶすためには、なんでもない〈住民〉のなかに〈権力〉を移行させていくためには、やはりそれそうとう、たいへんな手続きがいるのだということです。つまり、そのたいへんな手続きの過程というのが、政治過程なのだということが、レーニンの究極的に考えたことなのです。だから、そういうことはとことんまで、いちおう考えられているのですよ。考えられているのだけれども、現在の社会主義国がそれを実現しているというのはもってのほかであって、それはもちろん、かつてフルシチフが〈あと三十年もすればソ連に共産主義社会がくる〉みたいなことをいってたのですが、そういうでたらめなことをいってもらってはこまるのです。つまりそういうことはたいへんなことなんですよ。しかし、究極的には、移行形態というのはレーニンならレーニンがはっきりと指摘しているのです。ただ、そういうふうに理解しないで、中途半端なところで保身するといいましょうか、つまり、とどめておくというような考え方のひともいますし、いろいろそういうレーニン主義者というのもいるわけですが、ぼくはレーニン主義者ではないのですが、究極的にはわりあいに笠原さんににているところがあるのですけどね（笑）。

だけど、だけれども、レーニンというひとはえらいひとなのです。つまり優れているのは、究極的にはそういくべきなんだというふうに。そうなってくれば、人間はいまいいましたように、町会のごみ当番と同じように、国家的な当番であろうと、そんなよけいなことはあまりやりたくないわけですよ。やりたくないわけなんだけれども、当番だから仕方がないというかたちでやるようになれば、なにか〈俺、法律家になって、裁判官になって、それで裁判官でもただの裁判官はおもしろくねえから、すこし気色のかわった裁判官（笑）になってやろう〉なんていうような奴はいなくなっちゃうわけですよ（笑）。そういうような奴は現在の国家の国家機関を掌握しているひとと ともにいなくなってしまうのです。つまり、なんらかの意味で〈権力意志〉、あるいはそういうものをもってるというようなのは絶対になくなってしまうのです。そういう、究極的な形態というのは、いちおうもうとことんまで考えられているのです。

だから、ぼくはいま質問されたひとの考え方にまったく反対なのです。それはまったく反対していいと思っています。というのは、あなたの生き方がどうだということについていっているのではなくて、それは制度についていっているのだから、ぼくはそれを否定してもいいというふうに考えます。つまり、反対してもいいというふうに思いますから、ぼくは反対なのです。そんなふうに考えていないのです。それで、ちょっとマルクス主義とか社会主義とかいわれているものを、ばかにしてもらいたくないということ。つまり、世の中にはたくさんの社会主義者とかマルクス主義者というのはいるわけで、そしてたくさんの考え方がありますけれども、しかし大部分がやっぱり、キリスト者だってそうでしょうけど、インチキな野郎ばかりいるわけでね（笑）。だけれどもインチキな奴ばかりいるわけではなくて、究極的なビジョンをとことん考えつめていて〈権力〉なんかあったらいけないんだ、もしなんらかの意味でもたざるをえなかったら、いやいやもつというかたちにいかなきゃいけないんだ、ということを考えつくしているひとはいるわけですし、そういう透徹した認識をもってるひともいるわけですし、またそれに近づこういうふうに思ってるひともいるわけですし、またそういうところで、国家なんかないほうがいいんだよというふうにいういい方というのも、ぼくはあると思うのです。だから、そこのとこは、やはりとことん研究してほしいというふうにぼくには思われます。それは、個々の人間がどう生き、個人の生涯としてどう生きるかという問題とはまったくちがうのであって、個々のひとがどう生涯を生きるかということについてならば、それはまったく個々のひとにゆだねられるわけです。あるいは個々のひとにゆだねられ、環境にゆだねられ、あるいは社会にゆだねられ、国家にゆだねられ、また強制される面もありますが、いずれにせよ個人の問題です。

しかし、制度の問題つまり共同の観念が本質であるような問題についても、やはり〈観念の世界〉があるので、それはやはりとことんまでつきつめているひとも、かつてつきつめてしまったひともいるわけですし、つきつめたとおりに現実がいかないうちに、たいへん悲しい思いをして、たとえばレーニンなんてのは死んだわけだけれども、そういうひともいるわけですし、だからそういうことというのは、うんと追求してほしいように思うのです。それは、国家的良識、それから社会的良識あるいは市民的良識というものでものを判断するということは、それなりのいいところがあるけれども、だけどそういう判断というものをなんか究極的な判断、つまりそれ以上つきつめようがない判断だというふうに考えられたら、そうではないのであって、それはまだつきつめられる余地がぼくはあると思いますし、それはどんな考え方についても、そういうことがぼくはいえると思います。つまり、〈まだつきつめられる余地があるぞ〉ということを失ってはいけないという課題は、ぼくはやはりあるように思うのです。だから、そういう意味あいで、ぼくは反対するわけです。

場内から　吉本さんはいま海人部の問題を提起されたが、それによってもせいぜい二千年から三千年ぐらいの幅しかとけないのではないか。『情況』という本のなかで九千年の幅ということをいっておられる。いちばん問題になるのは、やはり縄文式土器から弥生式土器への質的な変化ということだと

思う。その質的な変化がなにに由来するのかおうかがいしたい。（要旨）

吉本 たいへんむつかしい、つまりわからない、答えられない問題なんですよ。それで、その答えられない問題ということの根底にあるのは、ぼくがいま追求しえている範囲でお答えしても、おそらく打率三割をいちおう四割ぐらいにすることにしかならないので、あまりそういうことはいいたくないと思ってるわけです。つまり、わからない部分がおおいものですから、答えにくいわけで、答えないほうがいいような気がするんです。ただ、ぼくが思ってるのは、さきほどの祭祀権云々で、二つの種類の複合があるというようなこともそうなんですが、体制によって流布されたものを焼き直したわけでもなんでもなくて、そういうことに関連するわけなのです。つまりわれわれが、現存する国家というものを考えていく場合に、その国家の起源というのは、せいぜい遡って弥生式の範囲をでないのです。しかし、弥生式以前に国家は存在しなかったかというと、ぼくは存在したと思ってるわけです。その場合に、国家の定義づけが必要ですけれど、まあそれはそれとして、ぼくは存在したと思ってるのです。つまり、その形態から、どのようなわけで固定的に、国家といえば弥生式を起源とする国家だというふうになってしまったのか。その通念をどこからほっくり返せば破りうるのかという問題意識がぼくにはありまして、そこのところで、あなたのおっしゃる縄文から弥生への質的転換という問題はぼくのなかでは、別に考古学的な意味あいではなくて、そういう問題意識からあるわけです。それで、そういう問題についてのほっくり返し方が、四割じゃなくて六割でできるならば、それはたとえば、三島（由紀夫）さんも死ななくてもよかったかもしれないですし、ぼくらも戦争中にばかなことをしなくてもよかったと思いますし、さまざまなことがありうるのです。だから、その問題はひじょうに重要な問題だと思いますけれども、しかし残念ながら、ぼくのなかではそれについて推測を申しのべるということを許さないものがあります。なぜならば、打率四割ぐらいでしかせいぜいいえないだろうなと思うからです。これはやはり、ぼく自身もいずれそのうちに六割くらいの打率に到達しようと思っていますから、その段階ではっきりと申しのべられると思います。要するにわれわれが現存している国家というものをどこからひっくり返せるのか、という問題に繋がる問題として、六割の打率ということで問題がだせるだろうというふうに思います。現在のところわからないことがたくさんありすぎるというふうなことで、あまり答えになりえないのが、たいへん残念ですが、勘弁していただきたいというふうに思います。しかし、ぼくは遊んでるわけではありませんからそういう執念をもっていますから、かならず六割までこぎつけようと思っています。それは自分の思想的な暗闇のひとつだと戦後から思ってきていますから、かならずそういうふうなとこへいこうと思っています。それから、お答えにならないのはしかたがないのですけれど、それはあまり、ぼくに対する批判にならないのではないですか。もっとすげえことをいうかと思って……（笑）。

三島　どうもみなさんありがとうございました。ゆきとどきませんでしたが、時間制限がありますのでこれで終わりたいと思います。

（「止揚シリーズ」1、2とも宿沢あぐり提供）